有斐閣新書

古典入門

ピアジェ

知能の心理学

知能はいかに働きどう発達していくか

滝沢武久・山内光哉
落合正行・芳賀　純　著

まえがき

知能とは何か？　という問いほど答えにくいものはない。ある学者は抽象的思考力をさし、ある学者は学習能力をさし、ある学者は新しい場面への適応力をさす。一般には、「知能とは知能テストで測られた成績である」といういわゆる操作的定義が採用されているが、これでは解答にはならない。というのも、知能テストを作成するためには、知能の性質がはっきりと定義されていなければならないからである。現在、知能の統計的研究が進み、知能の因子構造がかなり詳細にわたって分析されてきてはいるものの、知能の性質そのものについては、相変わらず謎のヴェールに包まれている。

知能は、チンパンジーのような動物にも原始的な仕方で働いているし、科学者における高度な抽象的思考としても発現する。この外見上まったく別個にみえる知能が、どのようにしてつながっているのだろうか？

知能は生得的素質であって、その発達の仕方も、遺伝的にあらかじめ規定されているという見解が、一般にかなり強力に根を張っている。しかし実際には、豊かな環境に育った者は知能が高く、貧しい環境に育った者は知能がそれほど伸びないということが、統計的に明らかにされてきたし、それと共に、知能の教育可能性にも注目されはじめている。遺伝か環境かというこの論争は、知能心理学の研究者の間で、いまなお絶えない。では一体、子どもの成長過程で、どのような仕方で遺伝や環境の力が、知能の働きにかかわってくるのだろうか？

これらの疑問を解く鍵は、知能を固定した実体としてみなすのではなく、柔軟に発展する知的働きとしてとらえ、誕生以来、その姿と活動をたえず変えながら、次第に論理的思考へと迫っていく過程を解明することにある。そして、早くからこの研究に着手し、知能の性質とその発達過程を理論的にも実証的にも明確にとらえたのが、スイスのジュネーブの心理学者、ピアジェであった。彼は、子どもの知能が、誕生時の反射の段階から、青年期に出現する形式的操作の段階に至るまで、いくつかの節に区切られながら、発達していくものであることを明らかにし、かつ、知能の働きの構造的な理論模型として、現代数学における構造の概念を援用することによって、発達初期の感覚運動的知能から、完成された操作的思考に至るまで、そのメカニズムの一貫性を求めたのである。

実をいえば、知能の心理学の研究は、ピアジェがその若き日から夢見た発生的認識論の体系化の一環として行なわれたものであった。そして、本書の土台となった『知能の心理学』がパりのアルマン・コラン書房からはじめて刊行されたのは、一九四七年のことであり、その内容が新鮮で独創的であるがゆえに、当時から今日に至るまで読者を魅了して止まない。しかも、この草稿が、第二次大戦下のパリ、コレージュ・ド・フランスで行なわれた連続講義であったことは、注目に価する。コレージュ・ド・フランスの心理学教授であったピエロンから、この講義を依頼された時のパリは、まさにナチ・ドイツの占領下にあって、文化的にきわめて荒廃していたし、戦争による危険も大きかった。にもかかわらず、彼は、この時こそフランスの友人たちに変わらない友情を示さねばならないという義務感から、あえてパリにおもむいて、講壇に立ったという。ピアジェにとっても思い出の深い著作の一つである。

『知能の心理学』は、すでに邦訳され、みすず書房より出版（昭和35年）されており、わが国でも多くの読者を持っているが、この本がフランスの最高学府での講義内容であるだけに、初心者にとっては難解であるという声も聞かれた。そこでわかりやすくこれを解説し、原典を読む手引きとなるような入門書の刊行の要求が非常に強かった。そこで、原典を読みやすいように書き改めると同時に、ピアジェにおける発生的認識論研究の展開の過程や、彼の知能心理学研究の最近の成果なども織りまぜながら、この一冊の小冊子を、わたくしたち四名が、共同して書き上げた。本書を、ピアジェ理解を深めるための手がかりとしていただければ幸いである。

最後に、本書の刊行にあたって企画から出版に至るまで、大変お骨折りいただいた有斐閣の野村 修さんに深い謝意を表したいと思う。

昭和五五年二月二十六日

執筆者を代表して

滝沢武久

もくじ

■ 著者紹介（執筆順）

滝沢 武久（たきざわ たけひさ）

1931年生まれ
現　在　電気通信大学教授
専　攻　発達心理学
執筆分担　第1章，終 章

山内 光哉（やまうち みつや）

1930年生まれ
現　在　九州大学教育学部教授
専　攻　学習心理学・発達心理学
執筆分担　第2章

落合 正行（おちあい まさゆき）

1949年生まれ
現　在　追手門学院大学文学部講師
専　攻　発達心理学
執筆分担　第3章

芳賀　純（はが じゅん）

1931年生まれ
現　在　筑波大学文芸・言語学系教授
専　攻　言語心理学・教育心理学
執筆分担　第4章

第1章 ジャン・ピアジェ——生涯と思想

1　生い立ち

●生物学と認識論への関心

ジャン・ピアジェは、一八九六年八月九日、スイスのニューシャテルで生まれた。父は唯物論的傾向の強い歴史学者で、中世文学史とニューシャテル地方史の専門家である。したがって、宗教に対してはほとんど無関心だったが、この父とは正反対に、母はきわめて信仰の厚い人だったため、ピアジェをプロテスタンティズムのなかで育てた。両親の宗教に対するこの不一致は、幼いピアジェの心に深く鏤として刻み込まれた。信仰と知識との矛盾葛藤は、彼の思想形成の原点だったとみなすことができる。

ピアジェは大へん早熟な子で、七歳から一〇歳の間に、その興味を自然科学の分野――機械、鳥、化石、貝――へとつぎつぎに向けていった。一九〇七年、彼が一〇歳のとき、白スズメについての観察をまとめ、その論文を『ニューシャテル博物学雑誌』に掲載した。わずか一ページの短い論文だが、当時のニューシャテル自然博物館長ポール・ゴデー博士の目のとまるところとなり、週二日の放課後に非常勤の実験助手として採用された。陸上および淡水産の貝殻の収集物を分類してレッテルを貼るのを手伝うのが、彼の仕事だった。軟体動物学の専門家であるゴデー館長に手ほどきされながら、四年間この作業を続け、若きピアジェもすでに軟体動物学の専門家として成長していった。一九一一年にゴデー館長が没したとき、ピアジェはスイス、フランス（サボイ地方、ブルターニュ地方）、コロンビアの軟体動物についての一連の論文を刊行した。この論文は、その専門分野で反響をよび、何人かの研究者が、ピアジェに会いたいと申し込んできた。しかし、ピアジェはあまりにも年少だったため、この招きを辞退せざるをえなかったという逸話さえある。

この年の夏、彼の名づけ親であるコルニュの招きで、フランスのアヌシー湖畔で休暇を過した。このときコルニュからベルグソンの創造的進化についての手ほどきを受けたが、それによって受けた知的衝撃は、きわめて強かった。神と生命とが同一であるという啓示は、宗教と科学との矛盾に苦しんでいた青年ピアジェの悩む心に、突然明るい光明となってさし込んできた。彼は生物学が認識論の諸問題の解決に貢献するにちがいないという見方を獲得した。そして、認識の生物学的解明という課題を自分の人生の使命としようと固く決心したのだった。

こうして彼の関心は、生物学と認識論へと向かった。ただし、両者が直接に結びつくのではなく、その橋渡しとなるような学問が必要だということも、うすうす感じ始めた。その媒介が発達心理学であるのを知るのは、もっと後のことである。当時これを模索しつつ、彼は手あたり次第に多くの書物を読んだ。すなわち、カント、スペンサー、コント、フーリエ、ギュイヨー、ラシュリエ、ブートルー、ラランド、デュルケイム、タルド、ルダンティク、ジェームズ、リボー、ジャネなどの思想家の著作につぎつぎにふれていったが、これらの読書によっておびただしいメモをとり、自分のノートの中に個人的な考えをまとめて、これを刊行した。それは、『思想の任務』（一九一六）と『探究』（一九一八）という標題をもつ「哲学物語」である。それらのなかには、科学と信仰、平和と戦争、伝統的キリスト教と新しい社会主義などの諸問題に対する科学的関心と同時に、青年固有の形而上学的・知的・感傷的関心が反映されている。しかも、このなかにはすでに後に展開されることとなる思想の萌芽もみられるのである。

第一は、すべての認識の起源は活動であるという立場である。外的活動といえども、そのなかには論理が含まれている。だから論理的思考は、外的活動が自発的に組織化された産物にほかならないと主張している。この考えは後に明確化されるピアジェの根本思想「すべての思考は本質的に内面化された活動であり、したがって感覚運動的活動であれ、表象的思考であれ、操作的思考であれ、それらのはたらきを論理構造によって説明することができる」という主張につながっていく。

第二は全体構造という概念を提唱し、部分と全体との均衡関係についての問題にかなりの関心を持った。均衡には、①部分が優勢なため全体が歪んでいる均衡と、②全体が優勢なため部分が歪んでいる均衡と、③全体と部分とが相互に維持し合っている均衡とがある。そして、③

の均衡が、高次のレベルでの知能の構造の特徴であり、これに対して①や②の均衡は、低次のレベルの認識（知覚など）の構造を説明するものだと主張する。これはピアジェの独創的な考えであって、当時ピアジェはゲシュタルト心理学を知らなかっただけに、先入観なく彼独自の視点からこの均衡の概念を深めていくことができたわけである。青年期のこの思索は、その後のピアジェが研究していく方向を決定したが、「認知構造の均衡化」（一九七五）の理論を明確化したのは、それからなんと六〇年後のことである。

一九一五年にニューシャテル大学の動物学科を卒業し、ついで一九一八年にヴァレ地方の軟体動物の研究で博士号を取得した。この研究は、『ヴァレの軟体動物学序説』（一九二一）という著作として刊行されている。

心理学——子どもの思考の研究

一九一八年、生物学と認識論とを媒介する科学が心理学であるということに気づいた彼は、チューリッヒ大学に入学する。ここでリップスに、つぎにウレシュナーに師事して実験心理学を学び、さらに精神医学者のブロイラーの許にかよって、臨床講義を聴講した。さらに翌一九一九年にはパリ大学に留学してここで二年間、デュマ、ジャネ、ピエロン、ドラクロアの諸教授の講義をうけ、同時にサント・アンヌ精神病院での臨床にも参加する。またしばしば国立図書館にかよって、記号論理学や現代数学の勉強に身を打ち込んだが、とくに彼が魅せられたのは、クーチュラの論理学だった。

このとき、ピアジェにとって研究の転機となる機会にめぐまれた。それはビネーとともに知能テストを創始したシモン博士から、推理テストの標準化の仕事をゆだねられたことから始まる。ビネーが知能テストを完成させたパリのグランジュ・オーベル小学校の実験教育学研究室で、これに着手することとなった。当時シモン博士はルーアンに隠居しており、この研究室は空席のままだったため、ピアジェはここを自由に使えたのである。ピアジェの取り組んだ推理テストは、イギリスのバートの作成した言語的推理の問題から成る。すなわち、「エディスはスザンヌよりも髪の色が淡く、リリーよりも濃い。誰が一ばん濃いか？」というふうな一連の問題を個々の子どもに提出して、その正答を採点することにより推理能力を測定するテストである。

ピアジェは最初この研究には気乗りしなかった。しかし彼の眼が子どもの正答だけでなく、その誤答に、とりわけその答えを仕上げていく過程に注目するにつれ、次第にこの仕事に夢中になっていった。ここで論理が生得的なものではなく次第に発達していくものであることを彼は発見し、この種の研究に充実した使命感さえ持つに至った。この発見は、青年時代からの認識論的立場によくこたえるものだったし、生物学的視点からの認識論構築という彼の所期の目的に達するために、まさに最適の実験的領域だとみなすこともできたのだった。

彼は、テスト問題をめぐって子どもと自由に会話をしながら研究を進めていく「臨床法」という独自な方法を編み出した。これは心理学における実験法と精神医学における問答法とを総合した方法である。チューリッヒ大学実験心理学研究室で学んだ方法と、チューリッヒ大学医学部のブロイラーの診察室およびパリ大学の実習コースなどで学んだ患者との問答法が土台となって、この臨床法が考案され、利用された。その後、この方法は一そう仕上げられ、一そう組織化されていくが、その柔軟な性格は変わることなく、一貫してこの方法で研究を進めていくこととなる。

この種の推理問題をめぐって明らかにされた子どもの思考について、彼は四つの論文にまとめた。そしてその一つを、ジュネーブ大学のクラパレード教授に送った。クラパレードはピアジェのその研究論文を読んで大変興味をそそられ、さっそく彼が編集していた『心理学雑誌』に掲載した。そして一九二一年に、ルソー研究所での研究主任の地位をピアジェに提供した。ルソー研究所とは、ルソーの新教育の精神を普及すると同時に、それを科学的に裏づける実験的研究をすすめるという目的で、クラパレードが友人の心理学者ボヴェーとともに創設した機関（後にジュネーブ大学付属研究所となる）であって、現職教員の研修も行なっていた。ここでピアジェは自由な研究時間と研究の場が与えられた。それは彼の研究計画を展開し実現していくための最適の仕事場だった。

彼の研究計画としては、まず幼児の思考研究に二年か三年の期間をあて、つぎに精神生活の起源である乳児の知能の出現の研究に進む。そしてこれらの実験結果にもとづいて、昔からの夢である生物学的視点からの認識論研究に着手しようというのであった。ところが最初の数年間を予定していた乳幼児の知的発達の研究に、五〇年以上も費してしまうこととなる。

2　初期（一九二〇年代）の業績——幼児の自己中心性の解明

●自己中心性

ルソー研究所員となって直ちにとりかかった仕事は、子ども『言語と思考』（一九二三）、『判断と推理』（一九二四）、『世界観』（一九二五）、『物理的因果』（一九二七）、『道徳判断』（一九三二）などをめぐる一連の研究であって、その成果は五冊の書物として刊行された。

これらの研究の糸口となったのは、子どもの思考特有の「自己中心性」であった。ピアジェはまずルソー研究所付属幼稚園で幼児たちを継続的に観察した結果、幼児における社会性の欠如に着目する。それは子どもの会話の中にも、ものの考え方の中にもみられる。たとえば、子どもは相手に向かって話しかけながら、自分の発言が理解されたか否かは一向構わないし、相手のいうことを理解しようともしない。自分の考えを他人に伝達しようとする意図を持たないからであって，こういうことばを「自己中心語」と名づけた。

また自分の左右を指示することのできる子どもが，向かい合った人の左右については，自分の左右と同方向を指す。ピアジェはこれを「自己中心的思考」で説明する。自己中心語も自己中心的思考も，子どもが自分自身を他人の立場に置いたり，他人の観点に立ったりすることのできないことにもとづく。他人の立場に立てるのにそれをしないおとなの利己主義とちがって，子どもの自己中心性は，もともとそのことができないのである。だから，主客未分化性といいかえてもいい。

この自己中心性から子ども独得の世界観が派生する。子どもの目にとってはすべてのものが生きている。石や雲のような無生物も，動機，意図，感情が吹き込まれているようにみえる（アニミズム）。また，夢や思考のような心理現象にも実体性と力が含まれているとみなされている。だから物の名前は物それ自体の中に存在しているし，夢は夜になると外から窓を通って部屋の中へはいり込んでくると考える（実念論）。さらにすべてのものが目的をもって存在しているが，それらは人間のために人間の手で作られたものである。川も海も星も太陽もすべておとなが作ったとみなされる（人工論）。これらの信仰は，原始人の考え方に，ときにはギリシャ哲学にすら，多くの点で似ている面があるが，それは子どもの自己中心的思考と同じ根を持っているからだと，ピアジェは考えた。

このようにしてピアジェは、自己中心性という子どもの精神構造のもっとも特徴的な姿を記述的なことばで明らかにした。このことによって子どもの思考や行動をよりよく理解するための強力な手がかりを人々に示すことができたのである。しかしこれらの研究は、ピアジェにとっては、ほんの手始めの作業にすぎなかった。いってみれば、彼の認識論構築のための予備的な基礎工事にすぎず、理論としてはまだ組織化されておらずに、未消化のままである。それなのに、この独創的な研究は、まだ三〇歳にならないピアジェの名を世界的に有名にしてしまったのだった。

●前期の研究に含まれる欠陥

にもかかわらず、この時期の研究には、致命的な欠陥が含まれていることに、ピアジェ自身反省している。

第一は、研究対象が子どもによって言語的に表現された思考に限定されていることである。しかし言語は、子どもの論理とは別に、いわば言語自身の論理を持っている。だからこのことが、子どもの本来の論理をつかむうえでの障害ともなりかねない。ことばはあくまでも伝達のための便宜的な道具にすぎない。そしてこの道具が、子どもの思考構造を歪めて表現するプリズムの役目を果たすことがしばしばある。初期の研究では、まさに非言語的に表現される思考の分析が、脱落していたのであった。

第二の欠陥は、子どもの自己中心性だけに研究の焦点をあてたことである。いわば社会関係のなかでのみ、子どもの思考に迫ろうとした。社会的相互関係のなかでの非可逆性（立場を逆にして考えることのできない性質）が、自己中心性であった。たしかに自己中心的思考から社会化された思考への移行は、社会的相互関係における非可逆的思考から可逆的思考への移行——不均衡状態から均衡状態への移行——を示すという意味で、論理的思考の発達をあらわす。しかし論理構造は、社会関係のなかにあらわれるだけでなく、子どもの活動全体のなかにその根を持っているはずである。そのうえ、可逆性への発展も、論理構造の発達の一つの側面を示しているにすぎない。したがって、子どもの思考の真のメカニズムに達するためには、社会的側面だけでなく、あらゆる側面での具体的活動そのものに即して、その全体的な論理構造の発達を解明していかなければならないのである。

3　中期（一九三〇－一九五〇）の業績——思考の発達過程の研究

一九二九年、ピアジェはジュネーブ大学理学部の科学思想史の教授に任ぜられた。科学思想史の講義は、精神発達にもとづく認識論の研究を系統発生の見地から推進させるためのきわめて有益な刺激となった。彼は、数学、物理学、生物学の基本概念の出現とその歴史を精力的に調べていった。この講義は一九三九年まで続く。そして一九三九年には社会学の教授となるが、翌一九四〇年にクラパレードが没したので、そのあとを継いで実験心理学の教授としてジュネーブ大学の心理学実験室の研究を指導することにもなった。ここで彼は、主としてランベルシェ女史とともに、知覚の発達の問題をとりあげ、多くの実験を重ねている。また一九三六年からは週一日、ローザンヌ大学にも出向して、実験心理学の講壇に立っている。

そのうえ、一九二九年から国際教育事務局の局長の職をひきうけていたが、戦後ユネスコの創設とともに次第にその活動は活発となり、ピアジェは国際的にも活躍することとなった。ユネスコのスイス国内委員会の議長を務め、さらにユネスコ常任委員会のメンバーとなり、ユネスコから委ねられて『教育の権利』と題するパンフレットの刊行に力を注いだりする。だからといって、そのために研究が手薄になってしまったわけではない。逆に実りある研究がこの時期にも、つぎつぎに発表されていった。

すでに述べたように、彼の前期の研究の致命的欠陥は、子どもの話すことばを手がかりとして研究をすすめたことだった。しかし、言語固有の論理のために、子ども固有の論理はそこに反映されにくい。それだけでなく、この研究方法は、まだことばを話せない乳幼児には適用できないわけだし、たとえ話すことのできる三歳児ですら、思考に連続性をもたせる能力がまだ発達していないので、会話を続けていくこと自体、非常にむずかしい。また四歳児以上になれば、たしかに連続的な会話はできるようになるけれども、会話で用いられることばの概念が、七、八歳以上の子どものそれと同じだとは限らない。この意味で、できるだけことばとは無関係に、子どもの思考の論理構造を把握することに努めなければならないというねらいの下に、ピアジェの新しい研究が始まった。

観察による臨床法

幸運なことに、この時期にピアジェは三児の父親になった。一九二五年に長女ジャクリーヌが、一九二七年に次女リュシアンヌが、そして一九三一年に長男ローランが生まれた。家庭的に恵まれたこの出来事が、ピアジェの眼を乳児における知能の起源の探究へと向けることとなった。乳児を研究するにはことばに訴えることができないため、必然的に観察を研究手段として用いなければならない。自然のままの状態での乳児の行動を観察し、その資料をつみ重ねていく方法をとらざるをえないわけである。ここに自由会話による臨床法の代りに、観察による臨床法が登場してくる。

観察による臨床法は、単なる逸話記録を集積することではない。この方法のなかには実験的推論が含まれている。というのも偶然観察した長女の行動をもう一度組織的に確かめるため、同様の実験場面を構成して、そのなかでの次女や長男の行動を観察するという方法がとられるからである。しかもその実験は、臨床法の特徴である柔軟性をそなえている。たしかにこの方法では、統計的数字が表面にでてこない。しかし、特定の行動の説明に対する裏づけとなりうる事例を組織的に集める努力が、はっきりと見てとれる。実際、設定された課題場面の中で乳児が行なう行動を組織的に観察していくこの方法は、単純観察だけにたよっていた従来の乳幼児心理学の不毛性を克服するに至った。現在、各国で乳幼児心理学の研究が盛んに行なわれつつあるのも、その発展の背後にはピアジェのこの臨床法が、大きな力となっている。

感覚運動的知能についての研究

その上、ピアジェが言語以前の知能の発生の問題に取り組んだのは、ただ自分の幼い子どもたちを観察する機会にめぐまれたという理由だけからではない。その背後には、知能とは生物学的にみると順応の一形式だという彼の仮説を実験的に確かめたいという動機があった。人間のおとなの知能は複雑な形をとり、きわめて広範囲での順応が可能である。一方、乳児の知能は人間の知能の中でもっとも基本的で、もっとも目立たない形しかとっていない。それは表象も言語もともなわずに、感覚と運動だけを働かせる「感覚運動的知能」にすぎない。乳児の知能とおとなの知能との間には、かなりの距離がある。にもかかわらず、おとなの知能は乳児の知能を引き継いだものである。だからおとなの知能の働きを解明するうえにも、乳児の知能が日毎に何を獲得し、どのようにして柔軟な順応の働きを仕上げていくかを調べていかなければならないと、ピアジェは考えた。

感覚運動的知能についての彼の研究の中核をなすのは、物体の保存性（恒常性）の発達過程に関係した認識の働きである。年長児にとっては、目の前に直接存在していない物体や人間でも、どこかに存在するということ（保存性）は、当然のことと考えられている。ところが乳児にとっては、目にみえなくなったものは永久に存在せず、したがって、それは乳児の念頭からもはや去ってしまう（非保存性）。たとえば、生後五ヵ月ごろの乳児がおもちゃで遊んでいるとき、そのおもちゃが突然ころがってほかのおもちゃの後に行ってみえなくなってしまったとする。このばあい、手を伸ばせばとれるほどの距離にいても、乳児はそれをさがしてつかもうとしない。そのおもちゃがみえなくなっただけでなく、消滅してしまったとみなすからである。

この時期の乳児に「イナイイナイ、バー」をしてやるとゲラゲラ笑うのも、これと同じ現象だろう。実際、もしこの時期の乳児に、ものがみえなくなってもそれが存在しているはずだという信念があれば、ものが再び目の前に現れたとき、あれほどおもしろがったり驚いたりはしないにちがいない。対象を認識するということは、対象をただ知覚するということではなく、対象の保存性をふまえて、その対象を再構成することなのである。この能力の発達について、ピアジェが観察したつぎのような記録がある。

ある日ピアジェが、生後八ヵ月目になる長女ジャクリーヌの前で、たばこ箱を持ち、それを落としてみせた。彼女はたばこ箱の方を眼で追うことなく、ピアジェの手を見続けていた。ところがこの実験を次女リュシアンヌと長男ローランにしてみたところ，彼らはすでに五ヵ月目から落下物をいったん眼でたどり，もう一どその視線をピアジェの手の方に向けた後，つぎに落下の道すじを再構成するのだった。長女にくらべて，次女と長男は，多くの実験を経験しているという事実が，恐らく道筋の再構成の能力を三ヵ月も早めたのだろう。

一方，満二歳に近づくと，目に見えない場所で物体が移動したときにも，その物体の位置を再構成することができるようになる。一九ヵ月目のジャクリーヌの目の前で，ピアジェは手のひらにおかねをのせ，その手を掛けぶとんの下に入れた。そしておかねをそのふとんの下に置いた後，手を出した。ジャクリーヌはまず父親の手のひらを見た。しかし，そこにおかねがないことがわかるや，すぐにふとんをはがしてその下に置かれたおかねをつかんだ。この再構成の活動は，原初形態の推論を示している。すなわち，「おかねは手の中にある。手は掛けぶとんの下にある。おかねは手の中になくなった。したがっておかねは掛けぶとんの下にある」という推論を，この子は活動で表現したのである。

こういう多くの観察結果から，ピアジェは認識に関する素朴実在論もしくは常識的な反映論の立場を批判する。認識とは，鏡のように外側の物体が心のなかに写し出される働きではなくて，認識主体の内側にそなわった論理の力によって能動的に構成する働きである。それは画家が対象物を写生する活動に似ている。画家は対象物をそのまま模写するのではなく，その対象物について豊富な知識をうることによって一つの解釈をくだす。同様に実在を認識するためには、外部から受け入れた情報について推論し、これを再構成しなければならない。この推論による再構成によってのみ、感性的経験の一時的性格を克服し、外観上の変化のなかにひそむ恒常性に気づくことができるのである。

もちろんこのばあいの推論は、ことばを通しての推理ではなく、行動（感覚運動的活動）による。二歳ごろまでの知能の発達とは、とりもなおさず、推論可能な行動が仕上げられていく過程である。感覚運動的知能に論理構造が付与されていく過程だといってもいい。

表象的思考の研究

一方、二歳を越えるころから子どもの感覚運動的知能は、外面的活動として直ちに表現されずに内面化され、ものごとをイメージとして思いえがく活動に代えることができるようになる。これをピアジェは、「表象的思考」と名づけた。この新しい能力の出現は、子どもが夢を見たり、夜に対し恐怖心を抱いたりすることによってもわかるが、何よりもシンボルを自由にあやつるようになることにより示される。意味を持った絵が描けるようになるし、ごっこ遊びのようなシンボルあそびにふけるようにもなる。たとえば、二つの長い棒を直角に組み合わせ、これを飛行機（のシンボル）とみなしてあそぶ。

シンボル能力は、言語能力の発達とともに一そう伸びていく。この表象的思考の段階の初期には、シンボルと実物との区別がよくわからない。だから、子どもが亀だとみなしている踏み石の上を、人が歩くと、かわいそうだといって泣く（アニミズム）し、物の名前は、その物の色や形と同じように、物そのものから切りはなすことのできない属性とみなす（実念論）。意味するもの（能記）と意味されるもの（所記）とをはっきり区別し、ことばは物を指示するための単なる呼称にすぎないことがわかるのは、この段階の終わり（六、七歳）ごろにすぎない。ピアジェが初期の研究で自己中心的思考としてとり出したのは、じつはこの表象的思考の特徴だったのであり、したがって、こういう表象的思考をピアジェは「前操作的思考」とも呼んでいる。

操作的思考の研究

これらの研究成果をピアジェは、『知能の誕生』（一九三六）、『実在の構成』（一九三七）、『シンボル形成』（一九四六）にまとめたが、さらにすすんで、この表象的思考が論理構造をそなえた「操作的思考」の段階まで発達していく過程の研究へと向かう。とりわけ、認識における基本的概念——数、量、時間、空間、速さ、偶然性など——をめぐって、それらの概念が論理的に操作されるに至る発達のすじみちを解明することに力を注いだ。

ピアジェはまず、ものの変化をとり扱う能力の発達を調べることから着手する。子どもは、変化の背後にある不変性（保存概念）をどのようにしてつかむことができるのだろうか？　水を細長いコップに移しかえただけで量がふえたと思い込む子どもは，水の外観の変化をとり扱うことができない。子どもは量についての判断を外観——このばあいは水面の高さ——だけにもとづかせているにすぎない。外観上の変化にもかかわらず，量は同じままだということをつかむためには，「付け加えも取り去りもしなかったから水の量には変化がない」（同一操作）とか，「元のコップに水をもどすと元と同じ状態になるから水の量には変化がない」（逆換操作）とか，「水面の高くなった分だけ細くなったのだから水の量には変化がない」（相補操作）など，操作の論理構造にもとづいた判断が不可欠だ。保存概念は，推論を前提としているのである。

この研究を通して，ピアジェのとった臨床法がいっそう確実な方法論的基礎を持つに至った。もはやこの時期で用いた臨床法は，純粋な会話による問答法でもなければ，実験場面での行動観察の方法でもない。それは，具体的な実験材料を取り扱うときの子どもの推論や判断をたずねることによって，それらの思考の底にひそむ論理を明らかにする方法として登場する。このばあい，子どもの答えを聞き出して記録するだけでなく，実験者は子どもの判断を批評したり反論したりして，あらゆる面からその答えを追究する。といっても実験者が頭ごなしにその答えの誤ちを指摘するのではなく，同じ年齢の子どもの異なる意見として引き合いに出しながら，会話をすすめていく。「あなたの友だちは，コップの幅が細いから水は減ったといったけど，それについてはどう思う？」「水をつけ加えたり取り去ったりしなかったから，コップの水はさっきと同じだけあるといった子がいたけど、ほんとうかしら？」等々。あるいは、ことばで反論するだけでなく、実際に実験材料をもっと変えたのをみせることによって、子どもの判断が変化するかどうかも調べる。コップの幅をもっと細くしたときにも、水面の高さにもとづいて判断しつづけるか、それとも子どもの眼が幅の方に向かうようになるか？　このばあい、もはや水面の高さを無視してしまうか、それとも幅と同時に高さも考慮できるか？　このように、子どもの判断を組織的に吟味するのは、子どもの自然発生的な信念の固さを調べるためではなく、その判断の基盤にある固有の論理構造を取り出すためにほかならない。

要するにこれらの研究で用いられた臨床法は、子どもに実験材料を取り扱わせ、その結果を解釈させ、しかもその解釈に対してこちらから疑問を投げかけることによって、子どもの思考のうねりをたどりつつ、子どもの思考の奥にひそむ真の論理に達しようとする特色をもつ。この手続きを踏む臨床法をピアジェはとくに「批判的臨床法」と呼んでいる。

◉「具体的操作の思考」と「形式的操作の思考」

こうしてピアジェは、子どもの思考が基本的概念を獲得して、基本的論理構造をそなえるまでの発達過程を明らかにした。こういう操作的思考は、ほぼ六、七歳ごろ出現する。従来もこの年ごろは、「理性の年齢」と名づけられ、おとなと同じ仕方で推論できるようになる時期とみなされていた。しかしピアジェは、この年齢の子どもの推論に、まだ限界があることを明らかにしたのである。じっさい、子どもは具体物についてはきわめて合理的に推論できるのに、言語的命題の推論となるとまごついてしまう。たとえば、三個の大きさの異なるつみ木なら、すぐにその大きさの順序を並べることができるのに、バートの推理テストのような、この問題とまったく同種類の言語問題に対しては答えられないし、せいぜい試行錯誤でやっと答えられる程度である。このように、具体的場面のなかに現存する対象に対してだけ推論することのできる操作的思考を、ピアジェは「具体的操作」の思考と呼んだ。

反対に一一、二歳をすぎると、自分自身の思考過程そのものを反省することができる。したがって、具体物や実際的場面から離れ、命題だけで推論をすすめていくようになる。こういう思考をピアジェは「形式的操作」の思考と名づけた。たとえば、「もし石炭が白いなら」と仮定させるとき、前段階の子どもは「だけど石炭は黒いよ」といって、この仮定を認めようとしない。一方、形式的操作の段階に達した青年は、事実に反するこういう仮定も受け入れ、その仮定に立って推論を進めていくことができる。彼らは、現実が何であるかという内容面よりも、推論の仕方が正しいかどうかという形式面に関心を持つからだ。だからこの時期から、比喩や風刺も理解できるようになる。

◎「群性体」という論理模型

具体的操作と形式的操作という二種類の操作的思考の構造を、ピアジェは論理模型で説明するが、この論理模型の拠りどころとなったのは、現代数学における構造の概念だった。

具体的操作の思考構造を説明するために構成された論理模型が、「群性体」である（第2章で詳説する）。これは数学における「群」の構造に対応する論理構造であって、具体的操作期の子どもが類と関係する加法や乗法の操作（分類操作、順序づけの操作など）ができるのは、子どもの思考のなかにこの群性体の構造が成立したからである。

一方、形式的操作は、数学における「群」と「束」とが統合された論理構造である。子どもが現実の場面から離れて、命題操作のあらゆる可能性を考慮することができるのは、「束」の構造にもとづく組み合わせ体系を駆使することができるからである。また、具体的操作のように同一操作や逆換操作や相補操作などのそれぞれの操作がばらばらに働くのではなく、相互に結びつき有機的に統合された仕方で働くのも、形式的操作の特徴だが、これをピアジェは、クラインの「四元群」から導き出した「ＩＮＲＣ変換群」の論理模型で説明する。

これらの論理模型を使って、子どもや青年の思考操作を論理的用語で分析するピアジェの努力は、いっそう組織的な仕方で彼の実験的研究を方向づけた。その実験で検証されることとなる仮説は、単にピアジェの直観や思弁から引き出されたものではなく、群性体模型や群・束模型から出発して、設定される。だからこそ、その実験結果に対して、本質的な意味を与えることができたのである。

要するに、中期ピアジェの研究の肥沃性は、臨床法の欠陥を次第に克服して、それが子どもの思考をとらえる有力な方法として洗練されるに至ったことと並んで、論理模型が構成され、それにもとづいて組織的に実験的研究がすすめられていったことによるといえるだろう。

4　後期（一九五〇年以降）の業績——発生的認識論への接近

「発生的認識論」の研究

学界におけるピアジェの活躍は、ますます広がり、多くの責任を一身に引き受けることとなっていった。一九五二年にパリのソルボンヌの哲学科の教授に任命され、発達心理学の講座を担当することとなった。ソルボンヌといえばフランスの最高の権威ある学府であり、そこには大ぜいの碩学の学者たちが集まっている。ピアジェはとりわけここの哲学者たちとの実りある交流を通して、多くの知的収穫と大きな知的よろこびをうることができた。ジュネーブ大学理学部実験心理学科の教授と、パリ大学文学部哲学科の教授とを兼ね、科学と思想の両面から肥沃な研究生活を、一九六三年まで続けた。

一九五六年、彼はジュネーブ大学理学部に、国際発生的認識論センターを創設した。それは、論理学者、数学者、物理学者、生物学者、心理学者、言語学者など、きわめてさまざまな科学の専門家たちが協力し、認識論上の一定の問題をめぐって、理論的検討と実験的分析とをたえず結びつけて研究をすすめていこうとする一種の知的冒険であった。このセンターでの研究活動は、最初の八年間ロックフェラー財団から、九年目以降はスイス国立科学研究基金から財政的援助を受けて、活発に行なわれた。このセンターにおけるピアジェの力の入れ方は大変なもので、その仕事のためにパリ大学での講義に手が廻らなくなり、教授の地位を辞さざるをえなかったくらいである。

国際的分野での彼の活躍も目立つ。ユネスコや国際教育事務局の仕事はますます増加し、ピアジェの責務はいっそう重くなっていったが、とくに一九五四年から五七年まで、科学的心理学国際連合の副議長として、その運営と発展に貢献したことは、心理学史上特記されなければならないだろう。

この時期のピアジェの科学的業績は、まず三巻にまたがる大著『発生的認識論序説』（一九五〇）を刊行したことから始まる。この著作では、「わたくしたちの認識がどのようにつくられ、どのように増大していくか」という問題が認識論の中心にすえられている。伝統的認識論が認識の高次の状態にしか取り組まなかったのに対して、発生的認識論は認識の起源にさかのぼり、その認識の発達をとらえようとするのである。そのうえ、従来の哲学のような思弁の対象としてではなく、科学的実験の対象として位置づけられる。

だから、この時期からピアジェの関心が認識論に向かったからといって、彼が哲学者になってしまったことにはならないし、心理学研究を哲学の一分野とみなしたわけでもない。発生的認識論は哲学ではなく科学である。科学の方法は、実験的検証と理論模型による演繹とを前提とする。これは、哲学の特色である思索——純粋反省——の方法とは何の共通性もない。

この点について、ピアジェがもっとあとになってあらわした著書『哲学の知恵と幻想』（一九六五）の中で、知識と知恵との区別について述べている所説は興味をひく。彼によれば、証明可能な知識のみが、真の意味での「知識」であり、したがってそれは科学的知識である（この「証明可能」という意味は、実証主義における「実証」の概念とはちがう。実証主義では、その実証性が無限に開かれていた。ピアジェは逆に実証性の限界をしっかりとふまえたうえで、証明を試みようとしている）。一方、形而上学の対象は、「知恵」すなわち理性的信念にすぎない。それは知識を越えたものであり、その役割は決定すること、もしくは評価することにある。だから、知識の真理は唯一であるが、知恵の方はいくつかのものがありうる。このようにピアジェは、知識を対象とする認識論と、知恵を対象とする哲学（形而上学）とを明確に区別しようとしたのである。

発生的認識論への関心は、ピアジェに多くの専門分野からの学際的協力の必要性を気づかせるに至った。その結果創設されることとなったのが、国際発生的認識論センターである。ここに各国の各分野の科学者たちが集まり、毎年新しい一つのテーマの下に研究をすすめていく。

その研究成果をまとめた紀要『発生的認識論研究』も、すでに三〇巻を越えた。

● 共同研究と相互批判

従来の科学的研究は、どの分野でもあまりにも個人作業が重視されすぎてきた。それぞれの科学者は、それぞれある程度独立して研究をすすめ、その成果を個人的交際や集会の席などで発表する。共同研究といっても、せいぜい、持ち寄ったこれらの成果を一緒にまとめたものに過ぎなかった。

一方、ピアジェの強調するチームワークの方法は、これとはかなりちがっている。まず、研究主任、研究担当者、研究助手たちが一緒に集まって、共通の課題を選択する。そしてつぎに彼らは、研究計画や研究経過などを書いた文書を持って、毎週定期的に会合をひらいて、研究手続きや研究結果などを調整する。この文書作成の役目は、一般にピアジェが引き受けることが多い。研究に参加している人たちは、その定期的会合の席で、この文書の内容を批判的に討議する。これは、現在の研究を調整するとともに、今後の研究の計画に役立つ。この検討会は、これ以上討議しても進行中の研究が改善されることはないだろうという意識を参加者全員が持つように至るまで、執拗に続けられるのである。

じつは、相互批判の重要性にピアジェが気づいたのは、かなり以前からであった。米国でピアジェが「今世紀で最大限に批判をうけた心理学者の一人」といわれているように、とくにピアジェの初期の研究は、きわめて活発な批判をあびた。もちろんピアジェがそれらの批判に対して一つ一つ反論を試みたわけではない。それらの批判の多くは、ピアジェの概念や問題意識を十分に理解していないことによることは明らかだったので、ピアジェ自身の研究を続行していくことが、とりもなおさずピアジェの仕事の意味を説明することとなると、確信していた。一つところが、相互批判の替えがたい価値をピアジェ自身の体験を通して学ぶ機会を持った。一つはフレスとの論争であり、もう一つはベートとの論争である。

ピアジェが時間概念の発達に関する著作を刊行した直後、時間知覚の研究の専門家であるパリ大学のフレス教授は、自分自身の立場からの実験的研究をふまえつつ、ピアジェの研究成果に対し、いくつかの疑問を提出した。その批判に対してピアジェが反論することにより、はげしい論争が始まった。しかし、二人はこの論争の過程で常に、つぎの二つの規約を暗黙の約束事として必ず守った。第一は、相手の実験をもう一ど追試してみることであり、第二は、反論を公表する前に、その論文を送ってそれに眼を通してもらうことである。この二つは相互理解のために不可欠な作業である。そしてこの相互接触からピアジェとフレスとの仲が、急速に深まっていった。のちに二人が協力して編集することとなる『実験心理学提要』（全九巻、一九六三―六九）は、現代フランス心理学の集大成とみなされ、フランスの心理学の専門家の道標ともなっているほど研究上不可欠の文献であるが、この大事業を完成することができたのも、あの論争を通して結ばれた固い友情の賜物だといってもいい。

このように、研究の進歩を保証する相互批判にとってもっとも大切なのは、研究者同士の相互関係である。この関係をつくることは至難のことだが、その努力を通して相手に自分の研究における隠された意味を見分けてもらえることとなる。そしてその相互理解にもとづく論争の結果、自分の取り組んでいる研究対象がいっそうはっきりと解明され、とりわけ結果の解釈がいっそう完全なものとなっていく。たとえ全面的に一致しないときでも、少なくとも自分の研究の視点をいっそう豊かにすることができるというのが、ピアジェの信念となった。

アムステルダム大学の論理学者ベートとの論争は、もっと深刻だった。相手がフレスのような心理学者でないだけに、共通の土壌を見出すことがきわめてむずかしかったのである。ピアジェが現代記号論理学における操作の方法について彼の見解をまじえながら述べた『論理学提要』(一九四九)を刊行したとき、ベートは彼の編集する学術雑誌『方法』のなかでその著作をとりあげて、ピアジェをきびしく批判した。ピアジェが反論しようとしたが、その反論をこの雑誌に掲載することは拒否された。そこでピアジェはベートに手紙をかき、論理学者と心理学者との共同研究を提案した。するとベートはそれを考慮したい旨、非常に好意ある返事をしてきた。その後、国際発生的認識論センターでの研究を開始したとき、ピアジェはベートを招いた。このときピアジェは若干の不安もあったらしいが、ベートはここできわめて積極的な役割を果たし、ピアジェの期待を完全にみたしてくれた。このセンターでのかなり継続的な討議にもとづく共同研究は、「発生的認識論研究」第一四巻『数学的認識論と心理学』（一九六一）として結実することとなったのである。

実際、ピアジェはチームワークによる共同研究の重要性をきわめて強調する。そして彼の後期の研究業績の大部分が共同研究の成果であることを誇りとしている。心理学の分野でも、従来はさまざまな専門家が別々の分野——知能、知覚、心像、記憶、学習……——を相互に孤立した仕方で研究してきた。だからその結果も分野毎にばらばらであり、それらの間に根本的な統一性が存在することを無視してきた。こういう状況をピアジェは打ち破ろうとするのである。たとえば、『知覚のメカニズム』（一九六一）、『心像』（一九六六）、『記憶と知能』（一九六八）、『学習と認知発達』（一九七四）に関するピアジェたちの一連の研究は、常に知的操作との関連の下でとりあげられた。ピアジェの研究が、発達心理学者のみならず他のさまざまな研究分野の心理学者たちから注目されているのも、さらに心理学者のみならず他の科学の専門家の注視の的となっているのも、狭い研究の枠内にとどまらず、他の研究分野との関連や学問の境界領域を開拓しようとする努力を続けた共同研究の成果だからである。

学際的研究への情熱

ピアジェが学際的領域の研究に特別な熱意を示すのも、恐らく若き日の夢である「認識の生物学的解明」という課題にたえず意を払っているからだろう。実際、彼が心理学を専門とする研究者になったからといって、生物学の研究を放棄してしまったわけではない。逆に心理学と生物学との両面から、認識を構造的に把握しようという問題意識を常に抱いていた。認知構造と身体構造との間にはどんな対応が存在するのか、知的順応と生物学的順応との関係や、知的発達と身体発達との関係はどうなっているのか等々。これらの諸問題を彼なりに解明しようとしたのが、『生物学と認識』(一九六七)である。

この著作もかなり反響をよんで版を重ね、かつ数ヵ国語に翻訳された。生物学の世界的権威であるワディントンは、その最後の著作『一進化論者の進化』の第九章で、ピアジェの湖水産モノアライガイの形態変化の分析をとりあげている。ワディントンが実験室内で研究した「遺伝的同化」の性質をもっともよく示す実例として、それが引用されたのである。そこで、外囲条件によって遺伝子型が変化せずにただ表現型だけが他の突然変異体に似たものに変化するいわゆる「表現型模写」の現象の研究に、ピアジェは再び関心をもちはじめた。彼は標高九〇〇から一、二〇〇メートルのヴァレ山脈およびジュネーブで、ベンケイソウの数千の標本を栽培し、この植物も表現型模写が生じることを発見した。

一九七〇年に来日した彼の主な目的は、幼年教育国際会議に出席することであったが、もう一つ、日本でのベンケイソウの生態を観察したいという目的もあった。多忙な滞在の合間に、関西の植物園で栽培されているベンケイソウを、現場で丹念に調べる彼の姿がみられた。

こうして彼は、遺伝について、固定仮説でなく、入れ替え仮説を提案した。そして進化に対する解釈は異なるものの、ラマルク説に近い立場をとるに至った。ピアジェによれば、大進化――地質学的規模の長年月の間におこる、分類学的にへだたりの大きなものへの進化――の主要な原動力は、まさに行動なのだ。その行動は、表現型模写、またはその組み合わせにより獲得される。この学説は、『生体順応と知能心理学――生物淘汰と表現型模写』（一九七四）という小著にまとめられた。

ここには初期の生物学に対する愛着への復帰によるピアジェの熱気のこもった文が綴られており、インヘルダーによれば、この著作は「一つの物語《ロマン》、しかしすばらしい物語《ロマン》」であり、パペールによれば、「興奮させる、しかしおそらく真実ですらある」内容をもつ。それはたしかにかなり大胆な仮説を含んでいる。しかし、いつも新鮮な問題意識をもって、新しい領域を開拓していくピアジェの姿を端的に読みとることもできる。

一九七三年にジュネーブ大学を退いたいまなお、このように彼は若々しい情熱をたぎらせてその研究に取り組んでいる。つぎつぎに人跡未踏の領域の中に問題を見出し、全精力を傾けてそれを追究していく姿は、まさに知的巨人という表現をあてはめることができるだろう。

第2章 知能の性質

1　知能の心理学の基礎概念

● 構造の概念

ピアジェが知的発達についてどのように考えているかを述べるに先立って、彼が人間の行動をどう考えているかということをまず問題にしなければならない。ピアジェによれば、人間行動は、二つの側面からアプローチしていくことができる。すなわち、構造という側面と、エネルギーの側面である。

構造という側面からすると、行動の全体のうちの部分的な行為がどのように分節化され、構成されるかという面がクローズ・アップされてくるし、また、行動の主体と客体（外部事象）との交互作用が問題になってくるのである。

この構造的側面に対して、ピアジェは、力動的またはエネルギー的側面を対峙させている。彼は、ジャネに従って、内的・外的な行動は、エネルギーの経済によって支配されるとする。この側面は、また、感情とも密接に結びついている。たとえば、ある外的な事情あるいはその人の心的素質によって、与えられた問題を解決する心的な力が欠けている場合は、「無力感」または「抑うつ」といった体験が起こってくるであろう。逆にある対象や事象が、個人を刺激してエネルギーを与える場合、それらの物に対して「興味」をいだかせ、「価値」を感じさせ、またやろうという意志をも生じさせるであろう。

このように、ピアジェは、行動の構造的な面と、エネルギー的な面とを分けているが、この考えは、ジャネとクラパレード（ピアジェの師にあたる実験児童心理学者）から取り入れている。ただし、この両者は実際の行動には相ともなってあらわれてくるのであり不可分である。たとえば「純粋数学の場合でさえ、何らかの感情を経験せずには推理することはできない。また、反対に、情感があるところには、たとえ最小限であろうとも、必ず理解または、弁別、分別がともなうのである」（推理、理解、弁別、分別は、行為の構造的側面である）。

しかしながら、この両者は、それぞれ一を他に還元してしまうことができないがゆえに、異なったものと考えなければならないとピアジェはいう。こうして、感情と、知的生活のいちじるしい特色をなす構造的側面は、少なくとも理論的には区別して考察されなければならないのである。

ピアジェにおいては、「行動の構造」は、知能の概念を定義するうえで使用されることに注意する必要がある。いいかえれば、知能の程度が高くなるということは、構造が複合化していること、行動の可動性が増加していくことを意味しているのである。子どもの知能の発達は、行動と思考の構造が、漸次に高度に複合化されることのなかに起こってくると、ピアジェの心理学は教えている。

このように、行動は知的構造とエネルギーまたは情意の側面に分けられるが、ピアジェがとりわけくわしく研究しているのは、前者の知的構造の側面、わけても、それがどのように発達していくかということであった。ただし、後者の情意的側面もまったく無視されているわけではなく、情意に関する二、三の理論的論文も物してはいるが（たとえば、波多野完治編『ピアジェの認識心理学』中の「情意論」を参照されたい）、情意、および情意と認知の関係に関してはわずかの関心しかもっていないといってよいであろう。

ピアジェのいくつかの大切な概念のうちでも「構造」という概念は大切であり、とりわけ学者たちの注目を受けている。最近の論文のなかでかれ自身、認知構造は、かれのシステムのなかにおいて唯一のきわめて大切な概念だとしているほどである。

ピアジェ心理学に限らず、他の心理学の分野や、また他の自然科学、人文・社会科学において、構造の概念を使用するケースは少なしとしない。たとえば、ある種の生物学、生理学、解剖学においては、身体の諸構造（消化器、骨格、循環器系）を、できるだけ詳細に記述していこうとするのである。また、工学の分野でも、構造工学と称する分野が開けている。しかし、人文・社会科学、あるいは行動科学で、最近とみに「構造」の概念を使用することが多くなり、また、さまざまな学者たちが「構造主義」を標榜するようになってきている（この点については、ピアジェ（滝沢武久・佐々木明訳）『構造主義』白水社も併せて参照されたい）。ただし、自然科学の構造の考えに比較して、人文・社会科学のそれは、きわめて抽象的な概念であるという特色がある。それは、建物や、生理的な組織のような、手でふれ、目で見られるような物ではなく、より抽象的であり、直接観察できない。認知構造も「実在的」ではあるが、直接観察・測定できる種類のものではない。そのようにいうと、認知構造は、思弁的、形而上学的な実体ではないかという疑問が生じるかもしれないが、それは形而学的実体以上のものである。ピアジェは、特定の発達段階にあらわれる、さまざまな認知の内容から、一定の構造の存在を推測できると主張する。いかにも、構造は直接観察・測定はできない。しかし、さまざまな知的行為のうちから、共通属性を抽出することができるのである。この意味において、ちょうど、「遺伝子」や「電子」が直接手にふれるものではなくとも、その存在を推測することができるように、知的構造もまた推測でき、それゆえに「実在的」といえるわけである。

われわれは後ほど、「群性体」という知的構造について、ややくわしくふれ、そこで、この知的構造がどのように一般的・包括的なものであるかということを述べるが、ここで、文の例を引いて――必ずしもピアジェ心理学からの直接例ではないが――、構造の概念を説明しておきたい。

たとえば、「太郎が次郎をなぐる」という場合、その文は「主語」（S）、「目的語」（O）、「動詞」（Ｖ）にわけることができよう。つぎに、他の文「先生が生徒をしかる」「青年は芸術を愛する」「インフレーションは生活をだめにする」といった文を考えてみよう。前の文を含めてこれらの四つの文は内容においては共通なものを持たない。それにもかかわらず、これら四つの文は、いずれも、Ｓ－Ｏ－Ｖといった形式において、一定の統辞的属性をそなえており、それゆえに共通の構造を分かちもっているといえるであろう。モデルとしては、Ｓ－Ｏ－Ｖは、抽象的な概念である。しかし、ひとは、一たんその属性を獲得すると、このような四つの文に限らず、他の内容を持った無限の文を産出することができるはずである。そればかりか、この構造をつかんでいる限りにおいて、通常、別の文法上・意味上の条件が付与されない限り、Ｓ－Ｏ－Ｖの順序と形態に従って文を産出する。同様に、ピアジェの心理学においても、構造は行動の内容の根底にあるものだが、彼はそれをできる限り、数理－論理的な用語で定義し、実際の発達しつつある子どもの問題解決事態に対応させようとしている。後に述べる「群性体」は、七、八歳頃に成立する一種の知的構造であるが、われわれはそれがどのように定義され、子どもの知的行動と対応づけられているかを、みることにしよう。

ピアジェは、構造の特色として、つぎの三つをあげている。

(1)　「**全体性**」　構造はまず全体としての概念を含んでいる。つまり、全体は個々の要素から成り立っているとはいえ、構造それ自体は、各要素の特性のみには帰せられない全体的なシステムの特色を持っているということである。数学でも，たとえば，「群」という全体システムが構想されているように，知能の発達心理学でも，一たんできあがった均衡状態に至ったシステムは，バラバラなものでなく，内部的にまとまった全体をなしている。「群性体」(後出)もまたそのような特色をそなえているのである。

(2)　「**変換性**」　構造は，不易不動のシステムではなく，それ自体，構造化されているとともに構造化するものととらえられる。構造はまた再構成され，再編成される。その内部において，新しい物を生み出し，構造化の状況を変えていく。ピアジェは，知能の発達を説明する場合，この点をとくに強調している。いうならば，ピアジェにおいては，発達の途上，ますます精緻な心的構造の成立していく，構造の構成が問題なのである。ピアジェの理論に，「構成主義」という名称が与えられる理由もここにある。

(3)　「**自己制御**」　構造というシステムの変換は，デタラメに行なわれるのではなく，自ら制御する機能をもっている。したがって，システム内の自己同一性が保存されるわけである。ちょうど，サイバネティックスの調整に比することができよう。いいかえれば，構造は自己制御を行なうからこそ一定の均衡状態を保っているのである。

ところで，心理学で「構造」の概念をはっきり打ち出し，「全体性」を強調した学派はゲシュタルト心理学である。ゲシュタルトの考え方は，ピアジェにも少なからず影響を与えている。

よく知られているように、ゲシュタルト心理学では、心的現象の全体は、各々の要素に還元できないことを強調する。また、全体は体制化あるいは均衡という全体に固有な法則によって支配されている。ゲシュタルト心理学は、知覚から出発して、構造化の法則を、習慣・記憶・思考にまで拡張していった。ゲシュタルト心理学が、心的組織の全体性や均衡を主張する点は、ピアジェも高く評価している。たとえば、知能の群性体（後出）は、全体的性格を持っている し、一定の均衡を保持している。しかし、ゲシュタルト心理学では、構造そのものを固定的に考えており、発生という観点を欠いている。知能は、子どもの発達にしたがって、新しい均衡に向かい、一定の均衡に達すると、前の構造を含むが、それよりも精緻な構造が成立してくるのである。だが、ゲシュタルト心理学では、知能の生成発展の事実を無視している。いいかえれば「構成」の事実を無視しているとする。

ピアジェがゲシュタルト心理学に批判的な第二の点は、構造の非加法性を一般化してしまう点である。ゲシュタルト心理学者は、部分の加算は全体を構成しないという知覚の命題を、知能一般にまで拡張してしまっている。たしかに、たとえば、「錯視」の一例をあげれば、一定の長さの線分は、それを分割すれば、分割しないものよりも長く見える。知覚の場では、局部が変化すれば、全体が変化してしまうので、加法性は成立しないことが多い。知覚の場では、全体の量は、その部分の総和よりも大きいことがある。しかし、これを知能や思考の領域にまで拡張し、そこでもゲシュタルトの法則が支配しているとするのは誤っているとする。後で述べるような操作的思考では、厳密な可逆性や加法の法則があてはまるからである。いいかえれば、過不足なく、B＝A＋A′であれば、B∧A＋A′となることはないという操作の特性が存在するからである。

● 知能と均衡

知能とはなにかという問題は、心理学において、古くてまた新しい問題である。実際、多くの学者が、知能を定義し、またそれを測定してきた。そのことは、心理学の歴史の示すところである。

たとえば、知能の定義には、つぎのようなものがある。

①新しい状態に対する精神の適応。

②問題解決、認知、弁別の機能であって、どれだけ抽象できるかということによって特色づけられる。

③獲得した経験から有利なものを導き出す能力。

④知能検査で測定される個人の得点。

これらは、ほんの数例にすぎない。

ピアジェは、独自の立場から知能を定義している。それは、あまりにかたくなな狭い定義ではないが、生物学的な色彩の強いものである。

「知能とは、生物的順応の特定例である」（ピアジェ『知能の起源』）。

この定義は、人間の知能が、順応（後出）の一形式であり、主体が環境と交互作用を起こすという点で、知能以外の生体の順応形式とその機能において異ならぬものであることを含んでいる。また別の定義によれば、つぎのように述べられる。

「すべての適応は均衡状態に向っているのだが、知能はまさにこの均衡状態を形成している」。

そして、

「知能の形成する可変的構造が次第次第に可逆性をましていく」。

ここで、「均衡」ということばは、ピアジェを理解しようとする者を大いに悩ませてきた概念であり、とりわけ理解しにくい概念である。実際、責任の一端は、ピアジェ自身にあるかもしれない。なぜなら、彼自身も方々で少しずつニュアンスの異なった使い方をしているからである。

もともと均衡ということばは、物理学から借用された用語であって、二つまたはそれ以上の要因のバランスを意味する。この場合では、人の心的活動（認知構造）と環境の間の調和のとれたバランスを意味する。人をとりまく環境は、さまざまな変化を生ずるが、人はその行動をうまく調整することによって、生じた変化を補償するように働く。もちろん、環境上の変化は、単に物理的なものではない。一定の心的問題が提起された場合、個人の持っている心的構造にそれを吸収したり、またそれを変えたりして、順応を行なうのである。これが均衡の働きであり、知能の程度が高ければ高いほど、調整はますます、すこやかに、そして速やかに行なえるようになる。

均衡は、あらまし右のような働きを意味しているが、先に述べたように、ピアジェの著作によって少しずつニュアンスが異なっているので、つぎの要約をつけ加えておこう（D・ラミー『ピアジェを読む』より）。

①均衡または均衡作用は、環境の変化に対する反応傾向と見なされる。それは人に、発達のエネルギーの機制の一種、すなわち行為の動機づけを行なわせる。

②均衡作用は、主体と環境間の補償要因であるばかりでなく、主体内部の攪乱に関する矯正の機制であるように思える（たとえば、環境の不適切さが、主体の側の自発的活動によって補償されること）。

③均衡作用は、発達上の一つの新しい要因であって、遺伝、環境の働き、環境への働きの間の相互作用の所産と見なされる。

④均衡作用は、一つの操作水準からつぎの操作水準への進歩（たとえば、具体的操作から形式

的操作への進歩）の原因、あるいは説明であるから、最終発達への道を切り開く一要因と解せよう。

⑤最後に、均衡作用は、（フェスティンジャーの意味での）認知の葛藤を解決しようとする主体の側の傾向と解せよう。

● 可逆性

先に述べた知能の定義で、ピアジェは、知能を可変的な構造で、次第に可逆性を増していくものととらえている。

可逆性は、知能が一定のところまで成長したことを示す主要な指標であり、ピアジェの知能の心理学においても大切な概念のひとつである。一口にいえば、可逆性とは、原点に帰ることができる思考を意味している。あらゆる数学的・論理的操作は可逆的であることが示される。たとえば、

三＋四＝七
七－四＝三

あるいは、

すべての男とすべての女＝すべての人間
すべての女以外の人間＝すべての男

第一の例において、三に四をたせば七になるが、七から四を引けば三に戻っている。また、第二の例において、集合の大きさを増加させれば、増加させただけを減少させることによって元の集合の大きさに戻っている。これらのどの場合でも、一条件から他の条件にいって、再び出発点に戻っているのである。このような思考は、可逆的思考と呼ばれ、思考の発達のうえで、後述する「操作」思考が成立したことを示す大切な目じるしとされている。

子どもの思考活動では、もっと生き生きとした例がみられる。

いま、ピアジェのところで行なわれた「一対一対応」の実験を例にとってみよう。子どもに、図1のAに示されるようなオハジキを与え、同じだけ並べるように要求する。六歳位の子どもであれば、一応、一対一に対応するようにオハジキBを並置することができよう。そこで今度は、実験者が、オハジキBをCのように並べて、再び子どもにAとCとは同じかどうか質問する。すると、この年代のほとんどの子どもたちは、Cのほうが少ない、などと答える。わけを問うと、「CのほうがAより短いから」などと回答する。オハジキの並べ方が変わってしまうと、その内実の数まで変化することになるが、この現象は、数の「保存」ができていないことを示している。しかし、より年長の子（七、八歳以上）になると、並べ

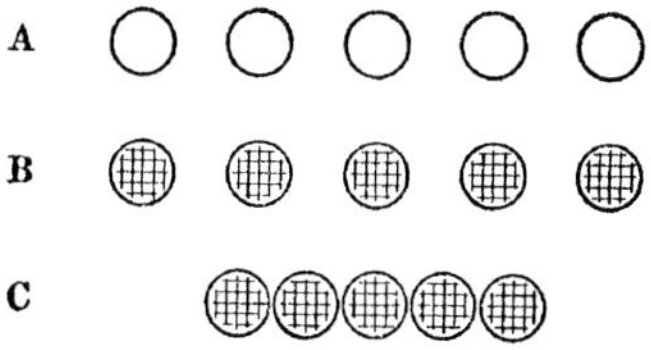

図1　一対一対応の実験

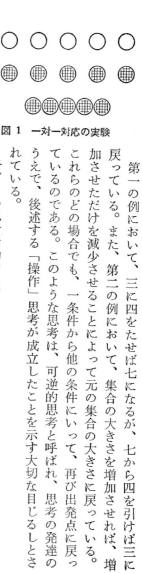

方は変わっても、数は変わらないといい、保存が成立するようになる。この場合も実験者は、被験児にそのわけを問う。すると、「Cを元に戻せば同じになる」「Cは短くなってはいるけれども、つまっている」などという根拠をあげるようになる。これは、この時期（具体的操作期、後出）の子どもたちが、可逆性という知的操作の特色をそなえていることを示している。つまり、「Cを元に戻せば同じになる」というのは、思考上出発点に帰ることであり、「短くなっているけれども、つまっている」というのは、短くなっているという長さの次元の変化を、つまっていること、つまり濃度の高くなっていることで打ち消して、元の状態を保存することを意味している。

子どものこの保存の実験の場合でも、数学・物理学的システムの例でも、ある定常状態を保持し、その一部の変化があっても、その変化を補償して元の定常状態に帰ることが共通に認められる。この意味で、可逆性は先に述べた均衡のとれた思考に欠くべからざるものといえよう。いままでは、児童期の例をあげたが、青年期にはもっと可動的、もっと可逆的な思考の複雑な均衡状況が成立するようになる。

●順応——同化と調節

ピアジェは、精神生活の進歩のうえで、構造は次第に変化していくけれども、発達の過程で不変な機能があると述べている。この認知機能は不変であるから、すべての発達段階において認知の活動を導いていくものである。

この不変の機能は、二つに分けられる。すなわち、「体制化」と「順応」である。

まず、体制化のほうであるが、生物はもともと、身体的、心理的を問わず、その過程を一貫したシステムにまとめあげる傾向を持っており、それを体制化というのである。これによって、生体は次第に高次な構造を生み出していく。

心理的な面についていえば、個人はまわりの世界と相互作用を起こしながら、心理的構造をより精緻なものにまとめあげていく。たとえば、乳児は最初、「見ること」と「つかむこと」という二つの行為をバラバラに持っているにすぎない。しかし、発達上、一定の時が来れば、欲しい物を見るとすぐにつかむという工合に、二つの行為は合体されてより合目的的な行為になるであろう。もちろん、もっと程度の高い、内面化された行為の場合もそうであって、もろもろの心的行為は、相互に調整され、高次の心的構造を形成するようになる。

第二の不変機能は、順応である。すべての生体は、生まれながら環境に適応する傾向を持っている。もちろん、順応の仕方は、種、個体、発達段階によって異なっている。にもかかわらず順応の機能は、下等動物の活動の場合でも、人間の、しかも、知能といった高次な活動の場合でも、同じく共通にみられる機能なのである。

順応は、これをさらに、「同化」と「調節」という二つの下位機能に分けることができる。

これも生体の活動に共通な機能であるから、いま生物的適応の例について説明してみよう。胃の中にいつも食べなれた物が入ってきた場合、胃は通常どおりの活動を開始して、胃液はつつがなく分泌され、体に合った形に食べ物を変えていくであろう。いいかえれば、いま持っている構造を使用して、外的世界の要素をわが物としていくのである（同化）。しかし、なれない物が入ってきたならば、胃の筋肉は、種々に収縮し、種々な器官が分泌物を出しはじめ、こうして、胃と関連器官は、この外的事物に適応しようとするであろう（調節）。これらの働きは、順応と呼ばれる。

ピアジェによれば、知的な順応もまた、生物的なそれと同様に、人と環境との交換過程であり、同化と調節はそこに同様に含まれている。つまり、一方では、人は外的な諸事象を、自分のいま持っている構造に合体あるいは同化させるとともに、また一方では、外的な諸事象の変化に適応すべく、いま持っている構造を変容することができる。この働きは、すでに乳児の心理生活から始まっている。いま適応すべき対象が、オモチャである場合、いままで扱ってきたオモチャと違わないならば、いま持っている行動パターンに、この特定のオモチャをにぎるという活動を包摂させることができよう。これは同化の働きである。しかし、いままでとは異なった種類のオモチャであれば、それを正しくみるよう、視覚の働きも調節し、持ち方も変え、一層重いものであれば、それをうまく持てるように、筋肉にかける力もそれにふさわしいように調節しなければならない。このように、乳児は、新しいオモチャという外的事物に対して、その行動構造を変え、一連の調節行動を起こさなければならないのである。

このように、同化と調節は、乳児の行動生活にすでにみられる適応過程であるが、二つはどのように関係し合っているであろうか。

ピアジェによれば、両者は、相補的な過程であり、現実の生活では切り離すことができない。両者は共に助け合って、外界との交渉を成立させている。たとえば、乳児がオモチャをにぎるとき、その形や重さにふさわしいようににぎる行為を変化させているが、同時ににぎる構造——つまり、彼の持っている行為の枠組みは生かされて使用されている。このように両者は、実際上、不離の関係にはあるが、理論上は分けて考えることができるのである。

ピアジェにおいては、知能は順応の一種である。そして、順応が、自分の構造への外的情報の取り入れ（同化）と、外的事象に応じての既存の構造の変容（調節）と考えられていることからも、知能がピアジェにおいてどのように考えられているかということを知ることができよう。つまり、知能は、不変の構造として人にそなわっているものでもない。また経験主義者たちのいうように、外部との交渉のみが知能の主形成要因でもなく、生体の基本機能が元来そうであるように、知能は主体と客体との相互作用によって、発達していく。この意味において、カミイが、ピアジェの立場を「相互作用主義」と定義しているのは適切であると思われる。

2　論理学と心理学――思考心理学批判

論理学者の知能観

ピアジェは、過去五〇年の知能の発生に関する研究を通して、知能は突然、まったく均衡化した構造としてあらわれてくるものでないこと、それは、次第に均衡のとれた構造へ発達すること、そしてその道ずじが重要なのであり、知能は発生的には、行為と同質の「操作」の体系にほかならないことを明らかにしてきた。

この考えは、多くの論理学者たちの考えと真向から対立する。かれらは、完全に完成された理想状態の論理を研究し、できるだけ経験的要素を排除しようとする。したがって、人間の行為の要素も、論理の規範にとって「不純物」とみなされるのである。

右のような考えの代表者の一人は、英国の著名な哲学者・論理学者のバートランド・ラッセルである。ラッセルは、心理学を最大限に論理学に従属させようとした。たとえば、われわれが白いバラを見るとき、知覚と同時に「バラ」と「白」の観念を持つ。「普遍的なもの」は、主体の思考活動とは独立して、あたかも外部からのように把握されるのである。こうした考えは、ピアジェのように、操作を中核に置き、普遍的観念ですら、人が「構成」するものであるとする立場とは相いれないことはいうまでもない。

ラッセルと同種の考えは、論理実証主義者、あるいはウィーン学団の学者たちによっても主張されている。後でも述べるように、ピアジェにおいては、一＋一は、主体が二つの物を一つに結合する行為をあらわしているのであるが、カルナップやフォン・ウィットゲンシュタイン（共に論理実証主義者）によれば、一＋一は同義反復にすぎず、数学的思考が「構成」したり「発明」したりするのではない。それは、もともと論理的統辞《ロジカル・シンタックス》の問題なのであって、もともと主体の活動が構成するていの問題ではないのである。

ピアジェは、「普遍は思考とは独立に存在し、思考は普遍を直接に把握する」という考えは、思考が発生的に漸次形成されるものだという点をまったく無視した夢のような話だとする。

ラッセルなどの考えは、「プラトン主義」といわれるが、この考えは多くの論理主義者たちのいわば理想となっている。すなわち、論理学の分野では、直観や生き生きとした思考活動をできるだけ排除し、いわゆる「心理主義」を強く批判してきた。

●「思考心理学」

思考から行為の要因を排除し、普遍的論理が頭から与えられるとする論理主義の構想はあまりに強力なものであったから、心理学の分野、とくにここで問題にする思考心理学にも少なからず影を落としてきたことは否めない。

ピアジェは、過去に盛んだったドイツ流の思考心理学《デンクプシヒョロギー》、とくに「ヴュルツブルク学派」の思考研究に示唆を得ている反面、また同時にそれに対して強い批判を行なっている。実際、『知能の心理学』のなかで、彼は、思考心理学の功罪を論じ、そのために少なからぬページをさいているのである。

ヴュルツブルク学派――キュルペを指導者とし、ビューラー、メッサー、マルベ、ゼルツ、ワットらの一派――は、今世紀の初頭に多くの思考の実験研究を行なった。その一般的な方法は、被験者に一定の課題を与えて、どのような意識・反応が生じるかということを、主として内観法を通じて明らかにすることである。つまり、「実験条件下における内観法」ということができるであろう。行動主義がその後盛んになるにつれて、この学派の仕事も一時影が薄くなったが、思考の実験研究の先駆として無視できないものがある。すでにヴントによって、思考の実験的研究は、不可能だとされ、科学的研究から棚上げされていた当時に、あえてそれを始めた成果は認められなければならない。

ヴュルツブルク学派の提出した有名なテーゼの一つに、「無心像思考」のそれがある。この派の学者たちの何人かは、思考に心像がともなうかどうかを、熱心に検討した結果、推理や判断には、心像はともなわないという結論に達したのである。

ピアジェによれば、彼らは思考と心像の関係をあまりに単純に割り切りすぎているとする。

なるほど、思考（活動）と心像は、本質的には異なってはいる。しかし、現実には、心像は思考にともなっており、「象徴《シンボル》」として思考に仕えているとする。ピアジェにおいては、心像は個人的な象徴であり、言語——集団的象徴——を補佐している。この考えには深くは入らないが、彼の『心像の心理学』（久米博・岸田秀訳『心像の発達心理学』国土社）で詳しく考察されている。

ヴュルツブルク学派の思考研究が、実験的方法を採用しているとはいえ、なお内観法を使用していたことは、必然的に、使用される被験者の制約をもたらしたことになる。もともと、内観は、被験者が自己の意識の省察を十分に行なえることを前提にしている以上、おとなの被験者にしか適用できない。したがって、この種の思考研究では、思考がどのように成長してくるかという発生的な変化を明らかにすることはできず、おとなの、完成した均衡状態にある思考の姿しか問題にならない。したがって、どうしても最後には、汎論理主義に陥り、心理学の分析を放棄して、論理学の法則を援用してしまう。

たとえば、この学派の一人、ゼルツは、思考作用は、孤立した要素から説明できず、複合の全体作用を完成することにその本質がある（「複合補充説」）ということを正しく指摘した。そして、高次の思考活動は、概念や関係などの複合の内部にできた「さけ目」をうめることにあるとする。ゼルツは、そのさけ目をどのように充足するかについて、心理的・力学的な機制を考えている。しかし、それでも「思考は論理の鏡」だといって、一種の論理－心理並行論に達している。

要するに、いままでの思考心理学のほとんどは、「思考は論理の鏡」ということに帰着してしまって、生きた思考活動を最後まで心理学の分析にかけないで、先験的《アプリオリ》に論理学の法則で片づけようとした。この点に対し、ピアジェはもっとも鋭く批判の矢を向け、また自らの思考の発生的・実験的研究においても、戒めとしたのであった。

このようなピアジェの批判が理解されると、たとえ、かれが、子どもや青年の知能の構造を分析するさいに、論理学上の記号を使用しているにしても、頭から論理学の法則を転用したのではなくて、あくまで「下から」、つまりかれらの思考の現実に即して、それをもっともよく説明できるモデルとして、記号論理を使っていることがよく理解できるはずである。

● 論理学と心理学

いままで述べてきたように、従来の思考心理学の大きな限界の一つは、論理主義に陥ってしまったことであった。この結果、「思考は論理の鏡」という結果に終わった。つまり、論理法則がまずあり、それが思考に映し出される。しかし、これは、実際の思考の発達、行為としての思考（操作）を考えてみた場合、はなはだ非現実なことになる。実際に存在するのは、公理的にみて正しかろうとそうでなかろうと、いまここにある思考操作なのである。それがすべて窮極的な論理法則を映し出すということは、はなはだ非現実ではないか。そこで、ピアジェは、従来の思考心理学の考え方をいわば「逆立ち」させたのだった。ピアジェらが、一九四一年に達した見解は、「論理の方が思考の鏡であって、その逆ではない」(『クラス・関係・数』)ということである。この結論は、実際の子どもの論理操作の形成を調べた結果、生まれてきたものだった。

「論理が思考の鏡」ということを理解するためには、論理学と知能(の実験)心理学の学問的な性格をはっきりさせておかなければならない。

まず、論理学は、理性の「公理学」であって、よく知られているように、経験的要素をできるだけ排除し、「公理」――これ自体は、証明不可能なもの――から出発し、これら公理をさまざまに結合して、論理命題を形作っていく。一定のルールさえ決まっていれば、そうした仕事は、まったく合理的である。いいかえれば、それは「仮説演繹的方法」ということができる。

こうした「仮説演繹的方法」をとっている科学は、論理学に限らない。公理から出発する幾何学もまた、直観的要素を捨象して公理の合成・結合によってきたし、理論物理学や、数理経済学もまた、必ずしも証明できない一定の公理を前提として、モデルを構成してきた。もちろん、実験・応用物理学や、経済の実践面では、そこで出てきた命題を、事実と対応するかどうか検証するが、そのことは必ずしも、理論物理学や数理経済学の仕事ではあるまい。

このような公理から出発する学問——たとえば幾何学は、具体的な事象（「空間」）を必ずしも説明しないが、それに対する「実験科学」が存在する。論理学と、知能の心理学も、そのような対応関係にあるものと考えてよい。つまり、ピアジェによれば、

①論理学は理性の公理学であり、

②知能心理学はこの論理学に対する実験（経験）科学

なのである。

論理学は、もともと、きわめて高度に図式化された「型紙」のようなものだとピアジェはいう。型紙は、あくまで型紙であって、その図式的な性格からいって、決して現実の思考の代わりになるものではない。また、論理法則は、純粋な極限概念なのであって、完全に思考がその法則に従うことはない。もちろん、子どもたちの思考生活が、このような論理規範にまったく従うと考えることはできないわけである。

にもかかわらず、この両者は混同されてきた。思考心理学も、そのことに気づかなかったので、論理学の教科書にあるような、概念、判断、推理を考え、知能の真の姿、その操作的な性格、全体的な特性を十分に解明することができなかったわけである。こうして、ピアジェでは、論理学と心理学は、まったく別の学問として割り切れる。「記号論理学は心理学のたすけをかりる必要はない。なぜなら事実かどうかという問題は、決して仮説演繹法による理論に影響を

あたえるものではないからである。これと逆の意味で、経験に関係している問題を解決するために、記号論理学を援用するのはナンセンスである。たとえば、知能の実際の働き方を解く場合などがそれだ」。

ただし、心理学が、究極の均衡に達した思考を分析するとき、思考の事実と、記号論理学の法則に対応が生じる場合がある。しかし、そうだからといって、論理の公理学が知能の心理学の代わりになることはできない。もともと、「死んだ」公理学が、生きた現実の知能の生成過程を説明し尽すことはできないからである。逆に、実際の思考作用のなかに「全体性」や「複合性」の役割が見出されるとすれば（そのことは、ピアジェの操作の分析から明らかであり、本書でも後に説明される）、原子論的な説明をしていた論理学や記号論理学の方の改変が必要なのではないか。「全体性の論理学」の建設が必要ではないかとまで、ピアジェはいい切っているのである。

3　具体的操作と群性体

●知能の発達段階

ここで、ピアジェの立てた発達段階（時期）を一応概観しておきたい。それは、つぎのようになる。

感覚－運動知能の段階（〇〜二歳）

前操作的思考の段階（二〜六、七歳）

具体的操作の思考の段階（六、七〜一一、二歳）

形式的操作の思考の段階（一一、二〜一四、五歳の間に完成され、おとなまでつづく）

ただし、それぞれの段階の年齢は一応のものにすぎない。つまり発達には、個人や文化の差によって大かれ少なかれ遅速がある。しかし、いままでの研究では、ピアジェの立てた精神発達の順序は、ほぼ文化と個人の差を超えてあてはまることがわかっている。

昔から、多くの心理学者たちが、さまざまな発達段階を立ててきた。たとえば、フロイトやエリクソンの精神分析的な発達段階はよく知られている。しかし、ピアジェの発達段階説は、ただ子どもの行動の年代記的な分類に終わるものではない。いくつかの規準を立て、それによって段階を設定しているのである。それらはつぎのような規準である。

①社会的経験、環境、個性に関して遅速のあるものの、行動の順序は同一である。

②各段階は、いちじるしい行動の特色によって定義されるばかりではなく、各段階に特有な行動を説明する「全体構造」によって定義されなければならない。

③これらの構造は、前の構造を含み、逆につぎの構造に組み入れられるようなものである。

要するに、各段階の終りには、一定の自律的調整機能を持つ全体構造が成立し、一つの均衡状態が達せられるのである。しかし、この均衡状態は、「死んだ」均衡状態ではなく、つぎの新しい均衡へ向かう契機をはらんでいる。本章では、後に、とくに具体的操作の段階の構造についてくわしく述べることにするが、他の段階については、章を追って説明されるであろう。

操作ということ

ところで、いままで述べたなかで、三つの段階の名称のなかに、「操作」ということばが含まれていることに、いぶかしく思われるかもしれない。知能が、高度の心の働きであり、言語ととくに関係が深いと考えておられる方には、いささか奇妙に思われるかもしれない。しかし、「操作」は、ピアジェの知能の心理学のなかでもとりわけ重要な概念なのであるから、しっかり理解しておかなければならない。

たしかに知能は概念作用や推理といった高度の心の働きであり、言語とも無関係ではないであろう。しかし、心の働きといった場合、また、心の産物としての言語ではなく、人間の言語を活動としてとらえるとき、その知的な働きには動作が含まれているといわなければなるまい。

ピアジェが「操作」というものも、なによりもまず心内的な活動なのである。「操作と、知性の源泉でもあり、知性の仲介者でもある活動や行為との間に、一つながりの連続性がある」。たとえば、数理言語は高度な心の働きの産物、動作とは関係のない純粋な知性の産物であるように思われるかもしれない。しかし、このことばのなかにも、動作が含まれている。

「……たとえば、$x^2+y=z-u$というような表現を作ってみよう。この式の各項は、いずれも結局のところ『行為』を示しているのである。=（イコール）はおきかえ可能ということを示すし、+（プラス）のしるしは、結合を示すし、−（マイナス）は分離を示すし、x^2という自乗はxをx回だけ再生産する行為を示す。そして、u・x・y・zという数値は、数の単位をそれぞれその回数だけ再生産するという行為を示すと考えてよい」。

　このように、数学的な記号言語もまた行為を内々に含んでいるが、論理的思考にもまた、同様に行為の側面を指摘できるであろうか。ピアジェは、そのことを示すいくつかの例をあげている。

　たとえば、「すべての動物は、脊柱動物と非脊柱動物である」という命題で、「と」（記号で示せば+）は、結合の行為を示している。もちろん、この結合行為は、物の集まりを分類するという実際の行為で行なわれてもよいが、また、心のなかで行なわれてもよいのである。また、A∧B、B∧CからA∧Cという結論を引き出す場合、三つの物を実際に並べて比較して結論を引き出すこともできようが、同様に、思考のなかで行なったものが、こういった対称関係の結論なのである。

　操作と行為の同質性は、ただ右のような結合や比較だけにみられるのではない。類《クラス》の概念は、主体がいくつかの物を一つの類にまとめるということ、一定の側面に対して同一の反応を行なうことのなかに成立してくる。

要するにピアジェによれば、「論理的思考の本質的特性は、それがオペレーショナル（操作的）だということである」。エーブリの有名な言いまわしによれば、「考えること《パンセ》は《セ》、操作する《オペレ》こと」なのである。

しかし、操作と行為の同質性を指摘しただけでは、操作の特性を十分に説明したことにはならない。操作は、実際の行為よりもなお能率的であるばかりか、システムとしての程度も高く、綿密に体制化されている。再び類《クラス》概念の例をあげれば、「クラス」自体は孤立しているのではなく、上位・下位のクラスに関して構造化されている（その構造は、後に「群性体」のところでややくわしく述べるつもりである）。クラスは、クラス化によって生き生きとした体系となっているのであり、この働きをはなれて、個々のクラスを想定しても、それは直観的な集合体にすぎない。

同様にまた、A＜Bという非対称関係をみても、それ自体としては思考上の関係としては成立しない。知覚的・直観的な二つの物の並置にすぎない。実は、A＜Bという非対称関係では、A＜B＜C……という「系列化」が本源的実相なのであって、一つの非対称関係は、系列化から一時的に抽象された一コマにすぎない。

ピアジェは、操作の構造（群性体）が、このように体制化されたものであることを示すために、一つの実験例をもち出している。被験者に、一辺が一〇～一五センチメートルの正方形の紙をわたす。その紙の上には、やはり正方形が描かれている。そこで被験者に、つぎの教示を与える。

①鉛筆でかける一番小さい四角をかいてください。

②この紙の上に、できるだけ大きい四角を書いてください。

七、八歳児以上のこども（具体的操作期以上の子ども）は、①の問題に対して、いきなり一辺一、二ミリぐらいのごく小さい正方形がかけ、②に対しては紙のへりにぴったり沿った正方形を描くことができるのである。しかし、六、七歳までの年少児では、①に対しては、すでに描いてある正方形よりもわずかに小さいもの、②に対しては、紙上の正方形よりも少し大きいものをかく。こうして、年少児は、小さい方、あるいは大きい方へ少しずつ進んでいくこともあるが、極限段階までに達することがむずかしいし、最終の解決を予見することはいつもできない。

この問題に対する正しい解決には、A＜B＜C……という不等式関係の「群性体」が関与しているとピアジェはいう。六、七歳までの子どもには、これが存在していないために、紙上の正方形よりも、一方では次第に大きくなり、他方では次第に小さくなるといった可能な系列化を頭のなかで行なえないので、眼の前の正方形にひきずられてしまうのである。

これに反し、年長児やおとなでは、なんでもなくこれは解決できる。一たび群性体が成立してしまえば、外的障害にもかかわらず、すこやかにその情報を処理して、均衡を回復し、また維持することができるのである。それでは、七、八歳頃より成立し、均衡に達するという、いくつかの群性体にはどんな種類のものがあり、また、それらの群性体に関する具体的操作（論理的思考）にはどんなものがあるのだろうか。われわれは、できるだけ具体的な例をあげながら、その点を吟味していくことにしよう。

● 群性体とその属性

心理学の理論を構築する場合、心理学者たちは、通常の言語を使用する場合ももちろんあるが、とりあげる心理過程が一定の構造を持っている場合、あるいは理論的に斉一的・整合的であるとき、ある数理的なモデルを使用してきた。日常言語は、数理的な言語よりもより陰影に豊み、また豊富であり、また日常的であることのゆえに、読者には理解しやすいことも事実である。しかし反面、厳密さを欠き、ある場合には包括的・一般的な内容を表現するには不適切な場合がある。

ピアジェは、科学的な説明の道具としては、日常言語はもともとあいまいであって、形式的な用語で補足されなければならないと考えている。

確かに、心理学の理論にふれた人は、だれしも漠然として意味のとりにくいことばに出くわした体験を持っているであろう。実際、われわれは、「自我」とか「概念」とか「同一性」ということばの多義性に、なやまされることが多い。同様に、「思考」ということばをとりあげてみると、それはある人には「観念」、他の人には、「意識」「冥想」「精神力」「信念・意見」等と、はなはだ多様な意味に解せられる。それゆえに、多くの不必要な議論と誤解がつぎつぎと生まれることになるのである。おそらく、日常言語によって定義されたピアジェの初期の仕事のなかにも、こういった多義性がひそんでいることは否定できない。

こうして、ピアジェは、自身が若いときから数理論理学を学んできた成果をも生かしつつ、後になって、物理学と同様、心理学においても、一種の数理的なアプローチを採用するようになる。とりわけ、操作という心的活動の記述には、それがきわめて適切であることを発見したのであった。

しかしピアジェのモデルは、事実から遊離したまったくのアプリオリなものではない。それは一つには少なくともかれの実験から由来し、実験を重ねることから発展したおもむきがある。しかし、後で述べるような操作を記述する「群性体《グルップマン》」というモデルのなかには、必ずしもまだ実験的な検証を受けていないものも含まれている。この点からみると、むしろ論理的必然性を有するものと仮定し、子どもの思考のなかにそれがあるかどうかをなお探っている面もある。

ピアジェが操作を記述するのに使用した「群性体」は、数学でいう「群」と「束」とを結合した準数学的な構造を持っているとされる（「群」と「束」についてのくわしい説明は、波多野完治編『ピアジェの認識心理学』および、ピアジェ（芳賀純訳）『論理学と心理学』等にある）。

つぎに群性体の種類（ピアジェは八種類をあげている）を、彼の実験を引用しながら説明してみよう（群性体の番号は、ピアジェの書物によって多少異なるが、ここではもっともよくあげられる配列によった。以下の説明は、フラベル（岸本弘・岸本紀子、植田郁朗訳）『ピアジェ心理学入門』およびボールドウィン『子どもの発達の諸理論』をとくに参考にした）。

(1) **群性体I——クラスの一次加法**　この群性体は、クラスの単純な階層に関するもっとも単純な操作を説明するものである。いま例として、図2に花の分類階層の例をあげた。このような分類階層と関係は、具体的操作期の子どもが把握しているものである。ここで、プライム（′）の記号のついていないクラスは、一次クラス、それのついているクラスは、二次クラスつまり補足的なクラスを示している。これら一次・二次クラスは、共通の元を持たぬものとされる。一次クラスは、それ以下の、プライムのついていないクラスとついているクラスの双方を含んでいることはすぐにわかるであろう。より具体的にいえば、階層の最上部に、子どもたちは二つのクラス、花（C）と花でないもの（C′）を構成する。中程の階層では、バラの花（B）と他の花（B′）、最下位の水準では、赤い色のバラ（A）と他の色のバラ（A′）が区別されている。

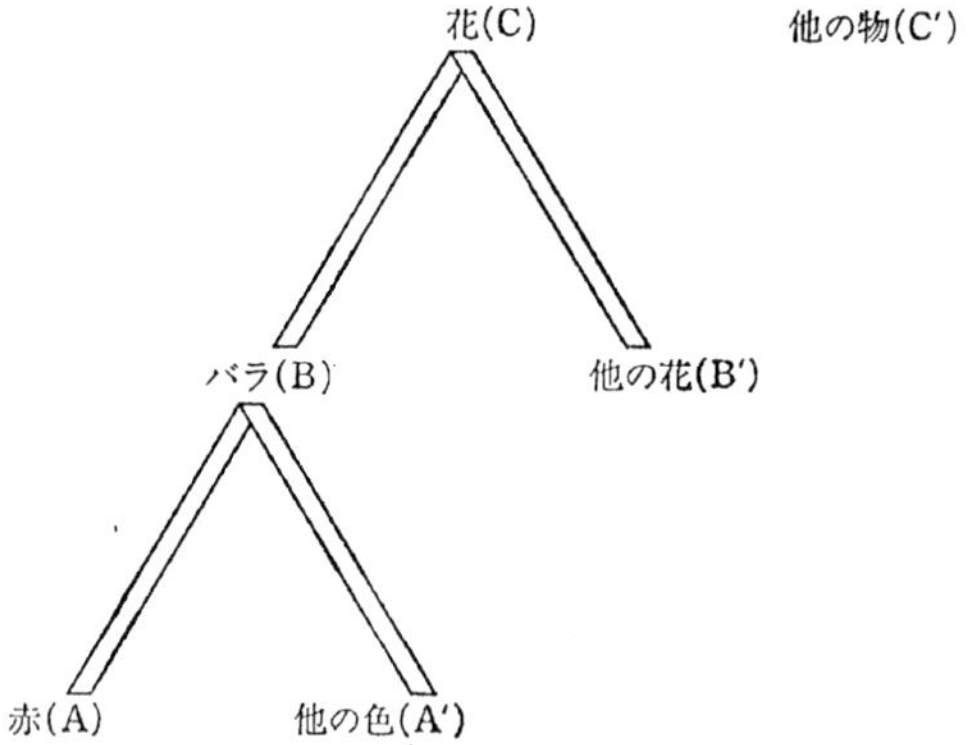

図2　分類の階層

こうした、A、A′、B、B′、C、C′のクラス各々は、元と呼ばれる。こうした元に対して、二値的な演算子である結合（＋）が適用される。この系では、いつも二つの元が結合されるので、二値的と呼ばれるゆえんである。

さて以上を前提として、演算子がこれらの元に適用される仕方に応じて、つぎのような五つの属性がピアジェによってあげられている。

(イ)　合　成　いずれかの二つの元を結合すると、別の元、つまり、上位の階層が生成される。たとえば、バラと他の花を結合すれば、花が生じる。これは、C＝B＋B′、として式で表示される。赤いバラと他の色のバラを結合すれば、同様に、バラが合成される。つまり、B＝A＋A′。この属性は、子どもが階層関係を理解する心の働きを表わしている。子どもは、下位のクラスを結合することによって、上位のクラスを合成するのである。

(ロ)　結　合　この属性は、つぎのような具体例で示すことができよう。いま、三つの元、

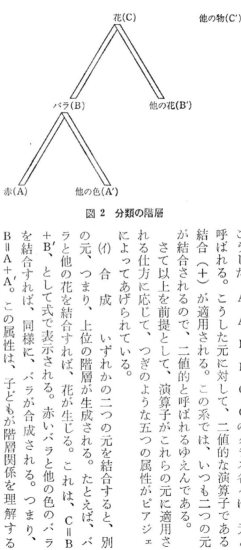

赤い、バラ、花を結合するとしよう。演算子は二値的であるので、これらを同時に結合することはできない。この制約のために、元A、B、Cを結合するうえで二つの仕方が生じる。第一に、A+B=Bとしておき、つぎにBをCと結合する仕方である。つまり、(A+B)=B、B+C=C、いいかえれば、(A+B)+C=Cで、花全体が得られる。他の一つの結合の仕方は、バラと花全体の結合、(B+C)=Cを、赤Aと結合することである。この結果、A+(B+C)=Cとなり、結果は前と同一になる。式に表わせば、(A+B)+C=A+(B+C)となる。このことは、子どもが種々の仕方でクラスを結合し、結局同一の結果を得るという知的行為を示している。

(ハ)　一般的同一性　階層の系のなかのどれかの元と結合しても、なんら変化をもたらさない特殊な元がある。0の元といってもよい。たとえば、赤いバラに、これを加えても、赤いバラは変わらない。つまり、A+0=A。

(ニ)　逆または否定　系のいずれかの元に対して、無の元を生じるような、別の元(逆)が存在する。たとえば、バラの花にその逆を結合すれば、バラはなくなる。このことは、バラのクラス全部をとりのぞくことを意味する。つまり、B+(−B)=0、あるいは、B−B=0と書き表わせる。この働きは、つぎのような子どもの思考活動にもあらわれている。「バラに他の花を結びつければ、花全体になる。けれども、それから他の花をとりのぞく(否定または逆)と、バラの花がのこる」。この思考過程は、可逆性を示している。なぜならば、他の花を結びつけるという行為が、再び否定されて元のバラに戻るからである。

この逆の属性はまた、クラスの内包に関係する。バラの花から、赤いバラをとりのぞけば、他の花が残る。$B+(-A)=A'$あるいは、$B-A=A'$。子どもが、「バラ全体は、赤いバラよりも多い」「赤いバラは、バラの中に入っている」といった思考の根底には、こうした逆の働きが存在する。

(ホ)　特殊的同一性　一般的同一性に加えて、群性体Ⅰのなかには、特殊的同一性がある。あらゆる元(クラス)は、それ自身に対して同一の元である。したがって、ひとつの元にそれ自身を加えても同一である。つまり、$B+B=B$。ピアジェはこれを、「同義反復」とよんでいる。さらに、つぎのケースもまた同一性である。あるクラスに、その下位クラスを加えても、そのクラスは変わらない。たとえば、$A+B=B$。この属性は、「再吸収」とよばれている。群性体と、数学上の「群」の差異はこの同一性によくあらわれている。なぜなら、群では、$B+B=2B$となるけれども、群性体ではそうではない。この点において、クラスとその関係性は、群とは異なった構造を持つものといえるであろう。

群性体Ⅰは、他の群性体にもまして、ピアジェによってよく研究され、実験的にもよく子どもの思考過程と対応づけられている。

具体的操作期の子どもは、群性体Ⅰに関する直接操作や変換の操作をよくつかんでおり、右に述べたような心的活動を行なうことができる。クラスの全体とその部分の関係をよくつかみ、その合成や分解も自由自在に行なえるであろう。しかし、前操作期の子どもはそうではない。

このことは、ピアジェやインヘルダーによって、分類の課題について実証されてきた。この課題では、子どもたちに種々な対象を与え、「似たもの同士をいっしょにしなさい」「同じ物になるように置きなさい」などという教示を行なうのである。これらの対象は、形の異なるもの（たとえば、四角、三角、半分の輪、色の異なるもの〈赤、青、など〉、または材料の質の異なるものなどであって、被験児は、形、色、材料の質それぞれに応じて、または、それらの組み合わせに応じて分類することができるのである。

二〜五歳ぐらいの子どもたちは、対象のあるものだけをいっしょにしたものを作り、そうしたものを並置してしまう（小部分整列）。一定の指導プランのようなものがみられない、あるいは、具体的なもの（「橋」「エッフェル塔」）を作り、平然としている（「複雑図形」と呼ばれている）。

五〜七歳ぐらいの子どもは、分類を行なうことができるばかりでなく、それらを階層に従って並べることができる。たとえば、ある子は花と他の物を分け、さらに花をサクラソウと他の花に分けることができる（二段階、またはそれ以上の分類が可能な子どもが多い）。これは、図２のような上の二つの段階の階層が形成されることを意味している。しかし、これだけでクラスの内包関係がわかっていることになるだろうか。

クラスの内包関係、つまり、すべてとある物が理解できているかどうかを調べるため、インヘルダーとピアジェは、つぎの実験を行なった。いま、その実験記録の一端を示そう。

「〔……少女は、すべての黄色いサクラソウを取り、それを束にする。さもなければ、すべてのサクラソウを束にする。〕どちらの花束が大きいでしょうか。――『黄色いサクラソウの花束のほうが大きい。』〔黄色いサクラソウと他のサクラソウを数え、どちらも四本であることがわかる〕『あっ同じことだ。』――では、サクラソウで作った束と、花全部の束とでは、どちらが大きいでしょうか。――『どちらも同じことです』」（ピアジェとインヘルダー『初歩論理構造の発生』）。

この子は、モデルについて階層を作っているのだが、黄色いサクラソウは、サクラソウ全体より小さい集合であること、サクラソウは、花全体より小さい集合であることを理解していない。前操作期の子どもは、部分を考えているときは、全体がおろそかになり、全体に注意すると、その部分のことがなおざりになる。

七～一一歳頃の具体的操作期の子どもたちは、階層的分類が行なえるばかりではなく、全体と部分に関する内包関係も把握しているのである。サクラソウすべての束と、黄色いサクラソウの束では、前者が大きいとすぐに答えることができるし、すべての花をとりのぞけば、サクラソウもとりのぞくことになることを理解している。操作を獲得した子どもは、サクラソウ（B）は、黄色いサクラソウ（A）と、他の色のサクラソウ（A'）から成立していること、B＝

$A+A'$や、また花全体（C）は、$C=B+B'$となっていることをつかんでいることだけではなく、$B-A=A'$、$B-A'=A$、ゆえに$B \vee A$であることなどもわかっている。これらの演算は、操作の全体構造のなかに組み込まれている。つまり、これらの子どもは群性体Ⅰを所有しているのである。

(2) **群性体Ⅱ――クラスの二次加法**　群性体Ⅰでは、A'、B'、C'などのクラスの二次的要素は、それぞれ、A、B、Cに対しての特定化されない対項を示していた。上位のクラスを、こうした下位のクラスに分類する仕方は、もちろん、ただ一種類にとどまらない。たとえば、哺乳類（B）は、イヌ（A_1）とイヌでないもの（A_1'）に分けることができるが、他の仕方、たとえば、ネコ（A_2）とネコでないもの（A_2'）にもBを分けることができよう。しかも、これら二つのクラスの和、$A_1+A_1'=B$、$A_2+A_2'=B$は等価である。各々の和は、いずれも哺乳類全体を表わしている。このように、一つのクラスの下位分類を変えても、なおクラス全体は不変である。このように、二様の分割が等価であることは、ピアジェによって「ヴィカリアンス」とよばれている。そればかりではなく、それらの二様の分割同士の間にもある種の関係がある。イヌのクラス（A_1）は、ネコでないもののクラス（B_2'）に含まれ、同様に、ネコのクラス（A_1）は、イヌでないもののクラス（A_1'）に含まれている。また、ネコよりもイヌでないものの方が多い。なぜならば、すべてのネコはイヌではなく、また、イヌでないもののなかにはネコ以外のものも含

表1　クラスの二次元の分類表

	赤（A）	赤でない（A′）
四　角 （B）	赤，四角 （A，B）	赤でない四角 （A′，B）
四角でない （B′）	赤，四角でない （A，B′）	赤でない，四角でない （A′，B′）

まれているからである。もし子どもが、以上の関係をつかんでいるとすれば、この群性体Ⅱの法則を所有しているといえる。

(3)　**群性体Ⅲ――クラスの二重一義的な加法**　クラスについては、加減の演算ができるとともに、それらを掛けたり割ったりすることができる。物が二つの属性に関して分けられる場合を考えてみるとよくわかる。たとえば、赤い（A）と赤くない（A′）、四角（B）と四角でない（B′）というように二次元に分けられ、しかもこれら二つの次元が相互に排他的ではなく、すべての物を含むとすれば、（A＋A′）（B＋B′）＝AB＋A′B＋AB′＋A′B′が生じる。すなわち、赤くて四角、赤くなくて四角、赤くて四角でない、赤くなくて四角でない、の四つの場合が生じる（表1）。こうしたクラスの乗法は、「二重一義的」と呼ばれる。もちろん、例にあげたように二次元でなくてもよい。さらに、別次元CとC′を乗ずれば、ABC、A′BC、AB′C、A′B′C、ABC′、A′BC′、AB′C′、A′B′C′の組み合わせのクラスが生じよう。しかも、以上の乗法は可逆的である。AB、AB′、A′B、A′B′の四元分類をBとB′で除すれば、AとA′の一次元に帰する。

っている。

このように、二重一義的なクラスの乗法は一貫した法則によって支配され、群性体Ⅲを形作っている。

(4)　**群性体Ⅳ――クラスの相互一義的な乗法**　群性体Ⅲにおいては、二系列または三系列のクラスすべてが一対一に対応させられた。こうして表1のようなすべてのマスに成員のある正方形、または長方形のマトリックスが生じた。しかし、二系列のクラスを掛け合わせても、このようにすべてのマスを充たさない場合がある。たとえば、一系列のクラス（イヌ対イヌでないもの）と他の一系列のクラス（ネコ対ネコでないもの）を乗ずると、実際上の三つのクラスは生成されるが、一つのマスのクラス、つまり、同時にイヌでありネコであるようなものは不可能である。

くわしくはここでは述べないが、ピアジェは、系譜樹を例に引いている（フラベル『ピアジェ心理学入門』参照）。この群性体Ⅳの分類は明らかに恣意的であり、この種の複雑な関係についての子どもがどれだけ理解しているか、その実験的証拠はまだあげられていない。しかしピアジェは、論理的に必然的な群性体の一種類として加えている。

(5)　**群性体Ⅴ――非対称的関係の加法**　群性体ⅠからⅣまでは、クラスについての群性体であった。ⅤからⅧまでは、すべて関係に関するものである。これらクラスに関する四つの群性体と、関係に関する四つの群性体はそれぞれ対応している。したがって、群性体Ⅴは、群性体Ⅰと対応しているわけである。

表2　系列化の発達　(%)

反応の形態	年齢 4	5	6	7	8
Ⅰ．系列化はまったく不可能	53	18	7	0	0
Ⅱ．部分的には可能だが不完全	47	61	34	22	0
Ⅲ．試行錯誤で可能	0	12	25	15	5
Ⅳ．操作的方法で可能	0	9	34	63	95

(インヘルダーとピアジェ，1959)

非対称関係とは、「より小」「より大」といった、系列化された順序立った差の関係である。差は一方向的なものである。$A<B$ならば$B>A$であり、$A<B \neq A>B$である。また、差は推移的であり、$(A<B)+(B<C)$は$A<C$ということを含んでいる。群性体Ⅴは、こういった非対称関係の順序差の加法・減法に関するもので、この点、クラスの加法・減法に関する群性体Ⅰと対応している。

たとえば、いま四歳位の子どもたちに、長さの異なる棒(A、B、C……、J)を与え、これを系列化させようとしてもいちじるしく困難である。五歳くらいになると、二〜四本の小系列はできるが、全体的にはまだ系列化はできない。六、七歳位になると系列化することはできるけれども、まだ試行錯誤的であり、一定のプランを持っていない。この段階では、中間の長さの棒、a〜iを、$A<a<B$、$B<b<C$等のように、A〜Jのなかにうまく入れることができない。七、八歳の具体的操作期に至ってはじめて、子どもたちは普通、容易に、試行錯誤なく一定のプランを持って系列化を行なうことができるのである(表2)。

非対称系列の推移関係について、ピアジェとインヘルダーの別の研究を引用してみよう。子どもに、重さの異なる（しかし、体積のほうは重さに関係しない）三個またはそれ以上の対象が与えられる。そして、一度に二個ずつをくらべて重さによって順序づけるように要求する。年少児たちは、二個の物の比較だけで系列を作りあげる場合、A＜BでありB＜CならばA＜Cだということに自信がなく、実際にAとCを比較してみなければならなくなる。

年少児が、非対称関係の理解に困難を感じるという理由は、ピアジェによれば、これが正（＜）逆（＞）の双方において体制化されていることをつかんでいないからだという。たとえば、BがAとCの間に入るためには、同時に、A＜BでありB＜Cであるという可逆性の理解が必要である。これがつかめていないので、A＜BとB＜CからA＜Cと結論しにくく、A＜CとA＜BからすぐB＜Cと誤判断してしまうのである。

(6)　**群性体Ⅵ――対称関係の加法**　この群性体Ⅵは、種々な対称関係に関するものである。ピアジェは一例として、系譜樹をあげている。一家族の男の成員、X、Y、Zがいるとき、そして、XとYが兄弟であり、YとZが兄弟であるならば、XとZは兄弟である。もし、XとYが兄弟であり、YとZの祖父が同一であるならば、XとZの祖父は同一である。

群性体Ⅵに関して、子どもがどのように操作を展開するのか、ほとんど実験的証拠をあげていない。ピアジェは、前操作期の子どもが、Xはかれの兄弟であると認めても、逆にXには兄

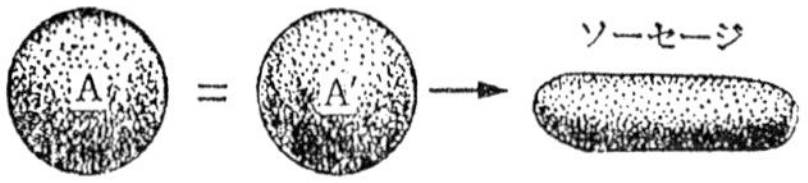

図 3　量の保存の実験

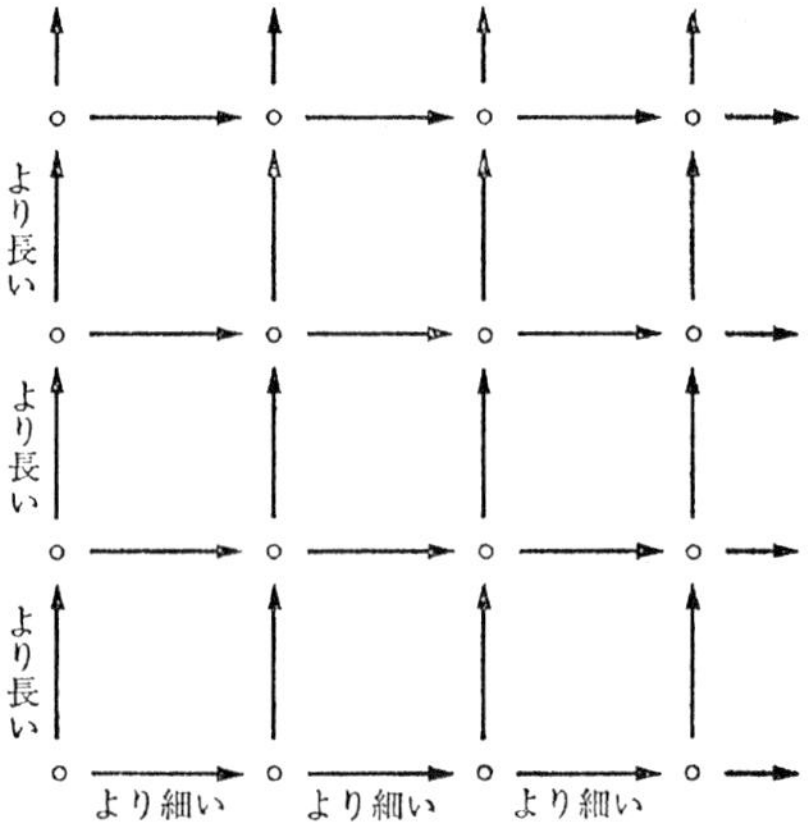

図 4　非対称的な二つの系列の関係づけ
——群性体Ⅶの実例——

弟があると認めないという事実をあげている。しかし、この群性体は、群性体Ⅴの非対称関係にてらしてみて、論理上必要なものとして加えられるべきだとはいえよう。

(7)　**群性体Ⅶ——関係の二重一義的乗法**

この群性体は、順序づけられた非対称的な二つの系列の関係を述べる重要な群性体である。図3に、長さと細さに関する非対称的な関係を示す例をかかげた。この例は、よく知られたピアジェの保存の実験の一つに関してえがいたものである。いま、たとえば、二個のボール（A、A′）を子どもに等しいことを確認させておき、ひとつの方（A′）をソーセージ状に引き延ばし、子どもに、ボール（A）とソーセージは等しいかどうか質問する。前操作期の子どもは、ソーセージの方が長いからたくさんある、または、細いから少ないなどと答える。ソーセージの形に変わっても、その量は変わらないと認め、その根拠をあげるようになるに

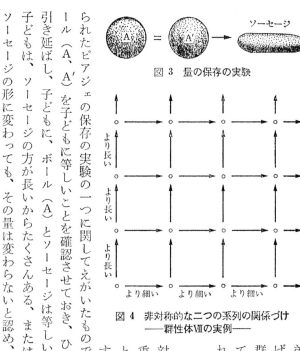

は、具体的操作期に入ってからの、普通八、九歳をまたなければならない。つまり、この頃になれば、ボールとソーセージは等量であることを認めるだけではなくて、たとえば、「ソーセージは長いけれども、細い」というように、二つの次元の関係を共応することができるようになるのである。ピアジェによれば、子どものこの発言は、「より長い」と「より細い」という非対称関係を一つの二次元的な系に群性化することにもとづいている。これは、図4に示したように、二つの系列を相関的に関係づける群性体Ⅶが獲得されていることを表わしているのである。

この群性体は、保存の成立にとって重要な役割を演じるばかりではない。子どもが二つの系列を一対一に対応づける場合にも、この関係が使われているのである。ピアジェのある実験では、一系列の人形を背の高さに従って並べるように求めるのだが、それらの人形が持つのにふさわしいようにさらに一系列の杖を持つように要求する。つまり、一番高い人形は、一番長い杖を、つぎに一番高い人形は、つぎに一番長い杖をという工合に一対一に対応させることができるかどうかが問題なのである（図5）。ただし、この場合は、すべてのマスのある完全なマトリックスではなくて、左上から右下に通る対角線の上に並ぶ項目が適切なケースである。こどもがこのように、二系列の非対称的な対象を一対一に対応させることができるためには、これらの系列を相互に掛け合わせるという群性体Ⅶの操作が必要になる。

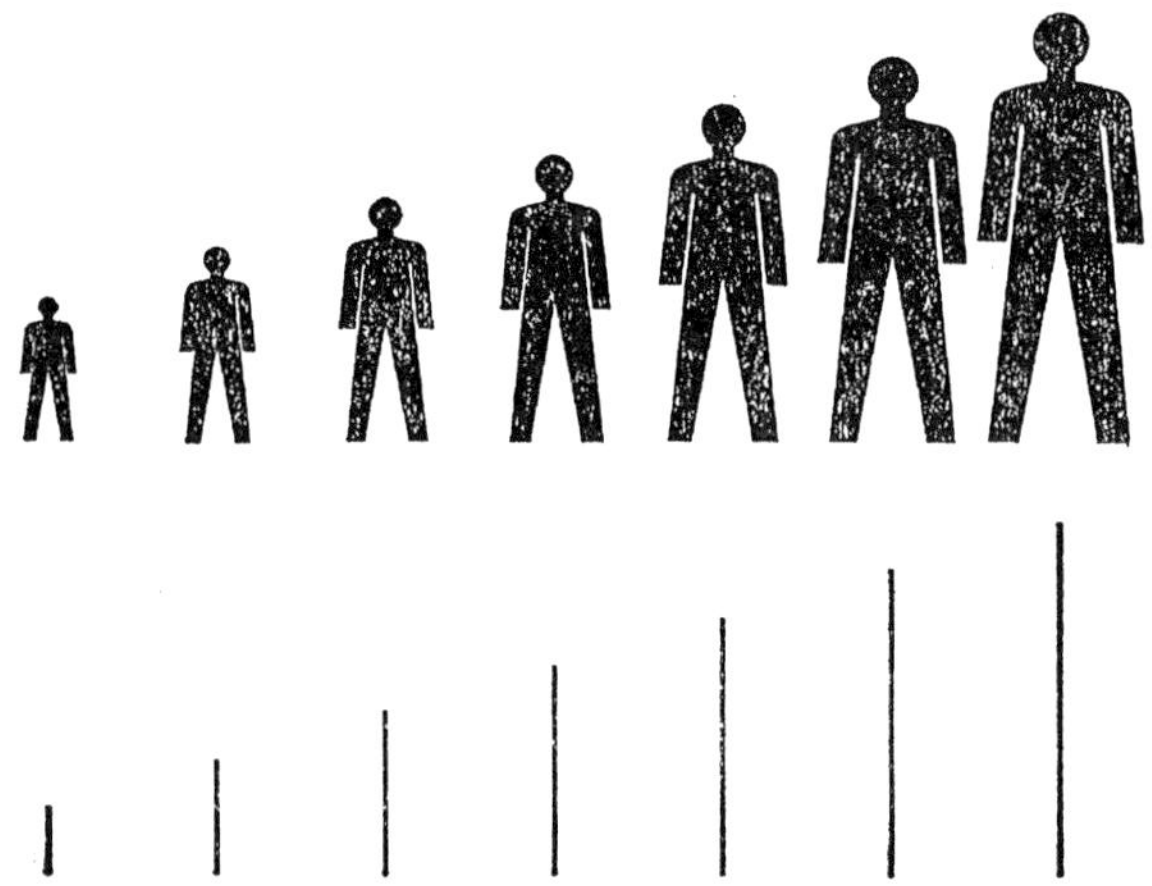

図 5　高さの異なる人形と長さの異なる杖の一対一対応の実験

さらに別の実験では、縦横二次元に並べられたマトリックスになった物のなかの、あるマスのなかの一つの物が欠けている場合、子どもにそこに入る適切な物を選んで入れるように要求する。このテストは、子どもが、群性体Ⅶに関する乗法をつかんでいるかどうかをしらべるためのものである。

(8) **群性体Ⅷ——関係の相互一義的乗法**　群性体Ⅳが、クラスの相互一義的乗法であったのと同様に、このⅧは関係の相互一義的乗法である。ピアジェはここでも、群性体に関する操作を説明するために系譜階層を持ち出している。この群性体は、対称的・非対称的な関係の乗法であるが、法則はきわめてむずかしい。また、この群性体についての実験は行なわれていないので、ここでは説明は割愛する。

以上で重要な八つの群性体の説明をおえたわけだが、読者はすぐ気づくように、これらの群性体はなによりもまず、「クラス」と「関係」について構成されたものということができよう。

●群性体の特色

群性体は、一つのまとまりを持ち、一貫した体系と内部の自己規制を持つという意味で明らかに構造の資格をそなえている。この群性体について、若干の総括を行なっておきたい（ジンスバーグとオッパー『ピアジェの知的発達の理論』にほぼ従った）。

第一に、たしかに群性体は、論理－数理的なモデルではあるが、子どもたちがそのモデルを意識しているわけでもないし、その必要もない。それはちょうど、本章の「構造」の説明のところであげたように、言語のシステム（たとえば、S－O－V）に従って発語できる者が、そのシステムを必ずしも文法的に定式化できないことと同じである。子どもは数学者ではないし、かれの問題解決の過程を論理記号で記述することはできない。したがって、この群性体のモデルで重要なのは、子どもの問題解決の意識を特色づけることではなく、この根底の過程をうまく記述し、説明することだともいえよう。

第二に、多くの心理学者たちは、さまざまな数理的モデルを構築してきたが、それらは、若干を例外（たとえば、レヴィンのモデル）として、ほとんどが測定上定量的なモデルであった。たとえば、ハルのそれはもっとも典型的である。しかし、ピアジェのモデルは必ずしも定量的ではない。実際、クラスの論理においては、赤いバラや他の色のバラの本数は問題にならないし、また、関係の論理においても、棒Aと棒Bはどちらが大きいかということで、必ずしもその差がなんミリかということは直接の問題にはならない。

第三に、群性体は、本来子どもの行動の根底構造を記述するのであるから、その内容が問題ではない。たとえば、一たび群性体Iを獲得すれば、それはバラ‐花の分類に適用されるだけでなく、動物や他の物体の分類にも活用される。クラスを結びつけ、かつその内包関係を理解する能力は、個々の材料を超えた一般性を持っている。この意味において、群性体は、包括的だといえよう。群性体は、子どもが個々の課題をどのように解くかということではなく、子どもの潜在可能性を特定化するうえに役立っている。

第四に、群性体は、一つの構造であるから、すでに述べたように、統合的であるといえる。それぞれの群性体内の諸属性は、それぞれ相互に関係しあっており、孤立していはしない。たとえば、赤いバラよりバラの方が多いと推理するとしよう。この働きには、いくつもの行為の組み合わせがからんでいる。バラ全体（B）は、赤いバラ（A）と他の色のバラ（A′）から成り立っていること、つまり、A＋A′＝B、バラから赤いバラを取り去ると他の色のバラが残ること、つまり、B－A＝A′であることといった心的行為が共に関係している。そのように考えると、この群性体に関する一つの行為に成功すれば、他のものにも成功すると仮定できよう。要するに、子どもの行なう分類行動は、バラバラなものではなく、それらは「全体構造」を形作っている。

第五に、群性体は、行動を説明するだけでなく予言するものである。子どもが、二つのクラスを結合して一つのクラスを作り上げることを群性体Ⅰは述べる。同時に、本書で例にあげた特定の課題だけではなく、別の課題をもこの操作の持主は解けることを予言している。このように、群性体は、一つ一つの課題に子どもがどう対処するかということだけではなく、同様の課題でも同様にふるまうであろうということを予言するものである。

第六に、これらの群性体は、大体七歳から一一、二歳頃に完成し、具体的事物に関する操作を取り扱っている。具体的な事物を離れて、形式的・言語的水準で推理が行なわれるには、なおそれ以降をまたねばならない。

●副論理

いままで述べた論理的操作は、クラスと関係に適用されるものであり、分類、系列化、積の操作思考を含むものであった。それらは、離散的（バラバラ）な対象に適用され、空間と時間とに無関係であり、時空関係の対象の変化には関与しないものであった。

このような論理的思考に対して、ピアジェは「副論理」を対立させている。副論理はやはり操作の一種ではあるが、部分と全体、時間・空間の関係を含んでいる。「副」といっても、通常の論理的思考より劣るという意味ではなく、同様に重要な操作の一種である。ただ、対象に密着した操作といえよう。

実際、一まとまりの部分・全体の関係を操作することは、クラスの関係を操作することとはちがっている。なぜなら、全体は一つの連続体であって、その部分が合体されると、部分はもはや分離したものではない。さらにまた、全体として存在するかどうかは、部分が近接しているかどうかを前提としている。クラスは、一つの抽象であるが、物の全体は空間と時間のなかに存在している。このような物体の空間・時間に関する操作が副論理なのである。

ピアジェの群性体は、時空関係にふさわしい修正をほどこすことによって副論理にも適用される。それゆえ、たとえば、「A＝BならばB＝A」の代わりに、AがBの隣にあるならば、BはAの隣にある」（A↕B）と述べることができる。ここで、A↓Bは、AはBの左にあること、あるいは、時間の場合では、Aは時間上Bに先立つことを意味している。

副論理操作と、通常の論理操作は、ともに児童期を通じて形成され、ともに具体的操作期を特色づける思考となっている。

第3章 知能の起源

第2章ですでにふれたように、ピアジェは、知能の発達段階を感覚運動期、前操作期、具体的操作期、形式的操作期の四つの時期に区分している。そして、知能の起源を、生まれてから言語を用いるまでの感覚運動期に求めるものである。ピアジェは、赤ん坊の行動を詳細に分析し、はじめは反射という生得的行動によって外界に適応するが、その後徐々に反射をもとに新たな行動を獲得していくことを示している。すなわち、反射という生得的行動様式を基礎として、新たな事柄に出合うとき、それを自分の中に今まで通りの仕方で取り入れ（同化）、それができない場合には、自分を外に合わせて変えること（調節）によって自分の中に取り入れることで、外界に適応し、それにつれて徐々に新たな行動様式（シェマ）を形成していくのである。外界への適応は、もっぱら感覚、知覚や運動をもとになされることから、感覚運動期といわれる。この時期の後半には、それらの新たに獲得された行動様式をいろいろに組み合わせて用い、目的に対して手段がとられるというかたちでの知能が出現するとされる。このように、ピアジェは、感覚、知覚や運動（習慣）をもとにして知能が発生するとするのであるが、知能の性質を知るうえで、この知覚や運動（習慣）と知能との関係を調べることは重要なことと考えられる。

つぎに、知能と知覚、知能と運動（習慣）との関係について、それぞれみていくことにしよう。

1　知能と知覚

まず、心理学の歴史上で知能と知覚の関係を扱った理論を簡単にみていこう。

知能と知覚の関係に関する諸理論

知覚の特性の一つとして、恒常性があげられる。恒常性とは、たとえば遠くの人は近くの人より小さく見えるが、物理学的法則によって考えられるほど（網膜上では、距離が二倍になると大きさは二分の一になる）小さくは見えないという大きさの恒常性や、ある形がいろいろな角度で示されると、網膜上にはそれとはそれぞれ違った形が映っているにもかかわらず、われわれはそのものの慣れ親しんだ形を知覚するという形の恒常性がある。これは、知覚は感覚受容器に与えられる刺激の特性だけに規定されるものではないということを示している。

ところで、ヘルムホルツはこの恒常性の現象を、直接受け取った感覚をすでに得た知識で修正するという働きによって説明する。ヘルムホルツは、この働きが無意識的であり、推理によって得られる結論と同じであることから、「無意識的推理」と呼んだ。つまり、知覚は物理的刺激に対して生じた感覚を過去経験による推理という知的働きで修正することによって成立すると考えている。

これに対して、ヘリングはこのような知覚は知的働きによって規定されるのではなく、生理学的に規定されているとする。たとえば、空間知覚においては、網膜の各点にそれぞれ上下・左右・前後という三次元に関する位置を判別するものが生得的に備わっており、刺激された点によってその空間的特徴が知られるとする。また、知覚する対象の客観的数値を知っていても、錯覚することがあるというように、知識が知覚に影響を与えるものではないと考えている。

ただし、両者とも知覚以前に感覚のあることを認めており（のちにみるように、この考え方はゲシュタルト学派と異なる）、この感覚要素に影響を与えるものを知的働きとするか生理的働きとするかという点で考えを異にしている。この二つの考え方は、知覚における経験説か生得説かという問題としてとらえることもできよう。

さらに、エーレンフェルスの形態質の解釈をめぐって、この知能と知覚の関係についての問題が新たな方向へ展開されることとなる。エーレンフェルスは、個々の要素内容とは別に直接感じられるものを形態質（ゲシュタルト質）と呼んだ。たとえば、ある旋律を一律に全部変えて移調しても、メロディはもとと同じと知覚されるが、個々の音はもとの音とは異なっている。すなわち、感覚情報はもととは異なるのに全体（メロディ）は同じものとして知覚されるというのである。この形態質には、①全体は個々の要素の総和以上の性質を持つ、②その要素をすべて取り換えても、まったく等しいものに移せる（移調可能性）、という二つの特徴があるとされる。この移調は、部分と全体とが相互に独立であることを示している。

ところで、この移調の説明をめぐって、二つの考え方がみられる。一つは、オーストリアのマイノンクを中心とするグラッツ学派の主張で、たとえば、メロディという全体の性質は感覚を総合した結果によるものであり、この総合という働きは知能にもとづいているとされるのである。これは、知能によって説明するという点で、ヘルムホルツと同じ考え方といえよう。

これに対して、もう一つはベルリン学派の考え方で、感覚を知覚以前に存在している過程とは考えず、知覚がはじめから与えられていると考える。したがって、ベルリン学派は移調の説明を感覚の総合とは考えず、要素の全体というよいまとまりが与えられ、このよいまとまりは個々の要素が一律に変化しても変わらないとする。このベルリン学派がゲシュタルト学派の出発点をなしたのである。

ゲシュタルト学説とその知能の説明

ゲシュタルト学派の中心的な考え方は、要素がばらばらに与えられ、それを統合したり、連合したりした結果として知覚ができあがるのではなく、はじめから形態または全体構造として体制化された全体からなっているとするのである。したがって、移調についても、新しい要素の間に先と同じ均衡形態が再現するのみで、要素間の関係は維持されると考える。すなわち、

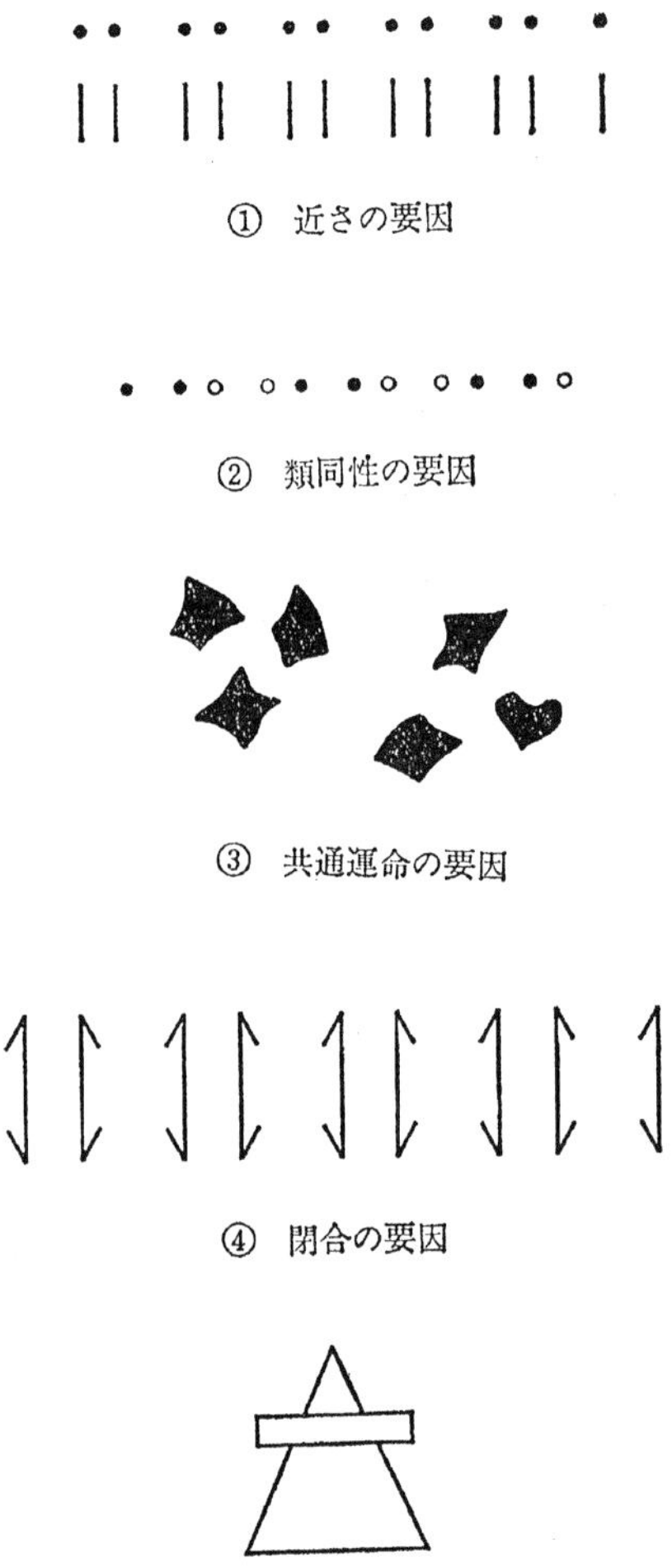

図1　体制化の法則

ゲシュタルト学派は、知覚を感覚要素の統合されたものとしてとらえるのではなく、要素ははじめから同じ知覚の場のなかで全体に結びついていると考えるのである。そして、この要素を全体に結びつける法則を体制化の法則と呼んでいる。ウェルトハイマーは、体制化の法則として図1に示してある、①近さの要因、②類同性の要因、③共通運命の要因、④閉合の要因、⑤よい連続の要因、⑥よいかたちの要因などをあげている。そして、このような要因によって、全体としてもっとも秩序のあるまとまりを形成しようとする傾向をプレグナンツ（簡潔性）の原理と呼んでいる。さらに、ゲシュタルト学派は、体制化の法則は経験の効果より大きいとし、発達とは無関係と考えている。

ところで、ゲシュタルト学派は知能について、つぎのように説明する。ケーラーは、チンパンジーの道具使用、道具製作の実験を行なった。手ではバナナがとれない状態に置かれたチンパンジーは、はじめ手でとろうとするがうまくゆかず、しばらく動きを止めた後、突然棒を用いてバナナをとることに成功したという。ケーラーによると、棒の置かれた位置によって解決が容易となったり、困難となったりしたという。すなわち、棒がバナナという目標に向かって手の延長線上になる方向に置かれる方が、それとは異なった方向に置かれたときよりも解決が容易であった。これは、チンパンジーにとって、今まで意味をもたなかった棒が、全体の場のなかで自分の体の一部になることで意味をもつようになり、手段と目標とをうまく結びつけることができるというのである。もちろん、チンパンジーはこのような解決にすぐに至るのではなく、はじめはいろいろ試行錯誤を繰り返すのである。しかし、ケーラーは、知能を特徴づけるのはソーンダイクのいう試行錯誤ではなく、突然の再構造化であるとする。この例でいえば、はじめチンパンジーにとって棒は意味をもたないが、バナナという目標に対する手段として場面のなかで棒を手の延長としてとらえ直す（再構造化）ことによって解決されるのであり、こ

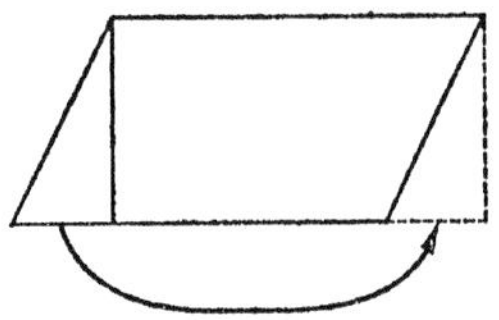

図2　平行四辺形の面積

のようにあまりよい構造でない状態から、よりよい構造へと移行することが理解の本質なのだとされる。

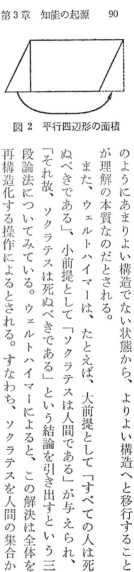

また、ウェルトハイマーは、たとえば、大前提として「すべての人は死ぬべきである」、小前提として「ソクラテスは人間である」が与えられ、「それ故、ソクラテスは死ぬべきである」という結論を引き出すという三段論法についてみている。ウェルトハイマーによると、この解決は全体を再構造化する操作によるとされる。すなわち、ソクラテスを人間の集合から死ぬべきという集合に置き換えるというように、中心を置き換えることによるとされ、三段論法も再中心化（再構造化）で説明できるとするのである。同様に、平行四辺形の面積の問題でも、平行四辺形の一方の端を切り取り、それを他方の端に着けると長方形となり、面積を簡単に求めることが可能となる（図2）が、この解決も平行四辺形を長方形に再構造化することによるとされる。

また、ドゥンカーは、大学生を被験者として、手術できない胃の腫瘍をX光線で健康な組織を破壊せずに治療するにはどうすればよいかという問題を、声を出して解決させるようにして実験を行なった。ドゥンカーによると、課題解決は今まで知っている解決法を、単に適用するという再生作用によるのではなく、矛盾の分析、材料の分析、目標の分析という発見的方法が用いられることを特色とするというのである。

このように、ゲシュタルト学派が行なったのは、どちらかというと新たな解決法を必要とする課題状況での実験であり、これは、再生的な思考というよりは生産的思考（創造的思考）を扱っているのであり、この点で一つの意義があるとされる。ところで、ゲシュタルト学派は、ケーラーのチンパンジーの実験にしても、ウェルトハイマーの三段論法や平行四辺形の問題においても、大切なことは構造（中心）転換であるとする。この構造転換というのは知覚の領域ではっきりとみられるものであり、ゲシュタルト学派においてはどちらかというと、思考を視覚的思考ととらえているといえる。したがって、そこにおいては視点の転換（再構造化）が重要な要因となるのである。このように、ゲシュタルト学派は、知能の説明を知覚と同じ原理で説明できるとするのである。

ゲシュタルト学説の批判

知覚の領域において、ゲシュタルト学派は、体制化の法則が精神発達と関係なくみられるというのである。たとえば、知覚の恒常性は感覚情報を修正することによって生じるのではなく、体制化の法則によっていちばんよい全体構造（均衡状態）が与えられる結果として生じると説明する。そして、ケーラーはサルやニワトリや子どもを用いて色や大きさの恒常性を実験した結果、いずれも恒常性がみられ、普遍的に存在すると考えている。このように、ゲシュタルト

表1　大きさの恒常性の年齢別結果
（標準刺激の％による）

	7〜8歳	8〜10歳	10〜12歳	12〜14歳	成　人
標準刺激を近くに	−2	+3	+6	+9	+10
標準刺激を遠くに	+4	+18	←+16→		+24

−は遠くの要素の過少視をあらわす。
＋は超恒常性をあらわす。
（ピアジェ『知覚の年齢による発達』より）

学派は、この恒常性を習得されるのではなく、どのような発達段階においてもそのままのかたちで与えられるとするのである。しかし、人間の子どもを用いた研究においては、結果はさまざまである。ピアジェは、子どもを用いた恒常性の実験を検討することによって、ゲシュタルト学派の考え方を批判している。ピアジェとランベルシェは、一〇センチメートルの棒を一本は被験者の一メートル前に、もう一本を四メートルのところに置き、たとえば標準刺激（他の刺激を判断するときの基準となる刺激）を一メートルの方にした場合、四メートルに置かれた棒の長さ（比較刺激）は、標準刺激の長さに対してどれ位の長さにみえるかを調べた。結果は、標準刺激を一メートルにしても、四メートルにしても、いずれも年齢とともに遠くのものを過大視する傾向がみられた（表1）。これは、超恒常現象と呼ばれている。ピアジェは、これをゲシュタルト学派のように、自動的な均衡によって説明できるのではなく、自発的に補償している結果、とくに大人ではそれが過剰補償となると考えている。

また、クルイクシャンクは、①一九センチメートルの棒を二五センチメートルの距離に置く、②一九センチメートルの棒を七五センチメートルの距離に置く、③五七センチメートルの棒を九五センチメートルの距離に置くという三条件で、生後一〇～一二週から五〇～五二週の幼児を用いて実験を行なった。①と③とに同じ反応をすると、網膜上の像に反応したことになる。一方、③の方を大きくみるという反応をすると恒常性があることを示すと考えられる。結果は、六ヵ月から恒常性を示す反応がみられ、年齢とともに変化していくことが示されている。

さらに、ブルズラフは、近くに標準刺激を置き、遠くに大きさの順に比較刺激を並べ、標準刺激と同じと思われる大きさのものを選ばせるという系列比較の結果、年齢による差異はないことを示している。しかし、ランベルシェはこれを組織的に調べ、標準刺激として一〇センチメートルの棒を一メートルのところに置き、比較刺激として一五の要素からなる六つの系列（三・五～一〇・五センチメートル、中央値七センチメートル、四・五～一一・五センチメートル、中央値八センチメートル、六・五～一三・五センチメートル、中央値一〇センチメートル、七・五～一四・五センチメートル、中央値一一センチメートル、九・五～一六・五センチメートル、中央値一三センチメートル、一二・五～一九・五センチメートル、中央値一六センチメートル）を四メートルのところに置いて、それぞれの系列で標準刺激と同じと思われる大きさを選択させた。結果は、表2に示してある。これによると、中央値が標準刺激と同じ大きさのときのみ、どの年齢でも正確に判断

表2　同一(10 cm)の標準刺激と15要素からなる系列の中央値の変化とによる系列比較の結果

中央値	7	8	10	11	13	16
5〜6歳	8.5	9.5	10.5	11.0	12.4	13.7
6〜7	8.3	9.0	10.0	10.3	12.2	13.4
7〜8	8.4	8.9	9.8	10.1	11.1	13.0
成　人	8.6	9.3	10.2	10.4	10.9	12.7

（ピアジェ『知覚の年齢による発達』より）

できることがわかる。ブルズラフの実験はまさにこの場合であり、それ以外の条件ではあてはまらないことが示されている。

また、みかけの大きさについて、ピアジェらは一メートルのところに一〇センチメートルの棒を立て、他の棒を四メートルのところに立て、一メートルのところに置かれた棒と同じ長さになるように調整させた。結果は、表3に示してあるが、六〜八歳の子どもは成人より大きく見る。この傾向は一〇〜一二歳までの間に徐々に改善するが、その後また少し錯視量が増えるというように、年齢とともに変化することが示されている。

以上の事実は、知覚も年齢とともに変化することを示している。このようなことから、ピアジェは、ゲシュタルト学派の恒常性の説明を修正しなければならないと考えている。

ところで、ゲシュタルト学派の知能の考え方についてはどうであろうか。ピアジェは、つぎのように考えている。たとえば、ケーラーのチンパンジーの実験の場合には、課題解決に先行する試行錯誤や、課題解決に続く検証を知能の領域から取り除こうとしたと批判している。一方、ウェルトハイマーの実験についても、たとえば三段論法の場合に、大切なのは前提によっ

表 3　投影像的比較において主観的に等しいと思われる大きさ（cm）

	6～8歳	8～10歳	10～12歳	12～14歳	成　人
平　均	22.0	16.8	12.5	13.5	16.0
最　大	40.5	31.5	17.0	24.0	26.5
最　小	11.0	10.5	9.0	8.7	9.0

（ピアジェ『知覚の年齢による発達』より）

て与えられている構造でも結論を特徴づける構造でもなく、どのようにして前提から結論へと移るのかという合成のプロセスであり、この点をウェルトハイマーは明らかにしていないと批判する。

ピアジェは、ゲシュタルト学派の考え方について、全体構造や均衡は認められると考えている。しかしながら、知的行動は外界に対して能動的に働きかけ、その結果、行動を修正したり、他の行動と組み合せて外界に働きかけると考えられる。すなわち、知的行動は先行経験の影響を受け、他の行動と関係し、能動的なものであるが、ゲシュタルト学派はこれらを考えに入れないという点や、また、知的行動にとって再体制化（再構造化）が重要と考えるが、そのメカニズムについては明らかにしていないという点で、ピアジェは批判している。

● 知覚と知能の相違点

ゲシュタルト学派は、知能と知覚に特有の構造を連続したものとしてとらえ、同じ原理で説明できるとする。これに対して、ピアジェは、ゲシュタルト学派の全体構造や均衡形態という概念は知能を説明するうえで有効なものであるとするが、知能と知覚の間には質的な違いもみられ

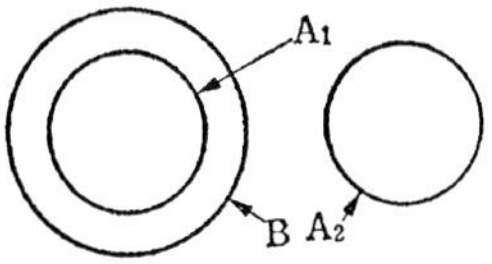

図 3　デルブフの錯視

るとする。つぎに、両者の相違についてみていこう。

デルブフの錯視を例にみてみよう。図3に示してある実験事態で、外円Bの直径をいろいろに変化させ、そのときの錯視量を測定してみると、たとえば、A_1、A_2が一九ミリメートルのとき、年齢にかかわらずほぼBの直径が五四ミリメートルで錯視がみられなくなり、それより小さくなると正の錯視（内円A_1の過大視）が生じ、それより大きくなると負の錯視（過小視）が起きる。この結果から、ピアジェは、つぎのことが考えられると指摘する。

(イ)　知覚は、全体の関係が変わると、もとの要素をそのまま保存し続けておくことができない。すなわち、Bの直径が五四ミリメートルから減少すると、A^1という内円に対する外円の類似度が増すが、それだけ相違度が減少することになる。この二つの側面（類似度と相違度）は、論理的には相補関係にあるが、知覚においては、外円の直径が三六ミリメートルを境に正と負の錯視がみられるというように、類似度と相違度との和が一定に保たれていない（非加算性）のであり、この二つの側面は相互にまったく正反対の方向に同じ強さをもって補い合うようには働かないことが示されている（非可逆性）。

(ロ)　また、知覚は前後の文脈の影響を受ける。たとえば、標準刺激より明らかに大きな値から順に比較する場合（下降法）と、明らかにそれより小さな値から順に比較する場合（上昇法）

とで、標準刺激と同じとされる値が異なることが知られている。したがって、この文脈効果を防ぐためには、ランダムに比較するということが行なわれている。すなわち、これはそのたどった道筋とは無関係ではありえないことを示している（非結合性）。

(ハ)　また同様に、同じ刺激でもそれより大きいものとくらべるときと、小さいものとくらべるときとで、同じ刺激も違った値をとるが、これはいつもそのものの大きさを絶対的に知覚しているのではないことを示している（非同一性）。

このように、知覚には、合成性（加算性）、可逆性、結合性、同一性がいずれも欠けているが、ピアジェによると、実はこれが知能の特徴である群性体の性質とされるのである。このような理由から、ピアジェは、知覚の構造にみられる性質（均衡形態）は、操作（知能）の構造の性質（均衡形態）とは、たいへん違っていると考えている。知覚では、先の同一性、結合性、可逆性、合成性が欠けているので、全体の関係が変化するごとに要素が保存されず、前後の文脈に影響を受けるというように、同一の要素でも一定したものとして存在せず、その場だけで安定したかたちをとるという均衡形態である。一方、知能の構造は、その内部に変化が生じても、その変化に対しては常にそれと反対の操作により打ち消されたり、補正されたりするので、その体系を変えることはないのである。この性質は、可逆性と呼ばれるもので、ピアジェによると、知能を特徴づけるもっとも大切な性質とされるのである。

ところで、知覚はそのなかに働いている関係の一つの値が変化するたびに、新たな均衡ができあがるまで全体を変えてしまい、しかも新たにできあがった均衡は、もうもととは別のものとされるが、知覚のこのような性質があてはまるのも、ある範囲内だけなのである。たとえば、錯視の場合、刺激がある一定の値まては錯視量は増大するが、それを過ぎるとそれ以上錯視量は増大せず、むしろ減少するというように、錯視はある範囲内で生起することがわかる。ピアジェは、これを知覚においても部分的に補正をする働き（調整作用）があり、この働きによって均衡の移動が制限されると考える。この調整作用は、知能の操作に匹敵するとされるが、ある範囲内では錯視を許すというように、まだ完全な可逆性をもたないため、ピアジェはこれを可逆性と非可逆性との中間段階をなすものと考えている。

さらに、ピアジェによると知覚と知能には、つぎのような違いもみられるという。知能は、二つのものを比較するとき、比較する方もされる方も、比較するという行為自体によって歪みを生じることはないのに対し、知覚的比較の場合、とくにある要素が他の諸要素を測る際の基準となっているときには、系統的な歪みを生じるとされる。これをピアジェとランベルシェは、標準刺激による誤差と呼んだが、これは、多くの注意を向けられた（中心化された）要素は過大視されるという現象をさす。このことをランベルシェは、一メートルと三メートルのところに一〇センチメートルの棒を置き、近い方を標準刺激にした場合と、遠い方を標準刺激にした場合との結果を比較することでみている。結果は表4に示してあるが、標準刺激をどちらに置くかで違いがみられている。このように、中心化が比較のときにみられる歪みの原因とされる。ところで、この中心化の現象は知覚だけでなく、同様に知的発達の初期においても、ピアジェが自己中心性と呼んだかたちでみられている。しかし、中心化の現象は、知能においても知覚においてもみられるという点では同じであるが、両者には、その性質上で違いがあるという。

ピアジェによると、知覚の場合は、すべての客観的な差異は知覚によって主観的に強調されるという。これをピアジェは、相対的中心化の法則と呼んでいる。すなわち、比較されるべき二つの要素の間に十分客観的な差異がある場合には、中心化が一方の方向に集中して、その刺激の過大視というかたちで差異が強調されるというのである。ウェーバーの法則で問題となるような弁別閾値以下の差異の場合（主観的には差異がわからないとき）には、一方に中心化するとそれが大きくみえ、他方に中心化するとそちらが大きくみえるというように、矛盾が存在し、二つの刺激が等しいものとして主観的に判断されるというのである。

このように、知覚は対象と直接に接触することから、時間・空間的制限を受けるのである。したがって、その時その時によって中心化される部分

表 4　奥行きをちがえて比較するときの標準刺激による誤差　（%）

	近くの標準刺激	遠くの標準刺激
5～7歳	－6.87	＋4.35
7～8歳	－2.15	0
成　人	＋2.50	＋11.95

や強さが異なり、そのため確率的で統計的性質をもつことになるといわれる。また、対象の存在しているときに限られるので、たとえば、ある視点からの見えをもとの視点の見えに置きかえるというような可逆的性質に欠けるのである。

これに対して、知能はこのような対象の存在や時間・空間の制限を超えているため、より本質的な側面を抽象できる。したがって、知能の相対性は客観的性質をもつことになるのである。以上のように、ピアジェは知能と知覚の相違点を考えているが、まとめると、つぎのようになる。

①知覚は対象に依存するのに対して、知能は対象が現前していなくても、頭の中で想い起こすことができるという表象作用によって直接対象には依存せず、またそれを多くの対象に共通した性質を抽象し、概念的枠組でも把握することができる。

②知覚の場は、空間・時間の接近性に強く制限される（たとえば、同時にいくつかの対象や場面をみることができない）が、知能は表象作用により、多くのものを頭の中においておくことができ、このような制限はない。

③知覚は、本質的にその人の見ている位置からの見え（視点）に依存するので自己中心的であるが、知能は、いくつかの視点からものをみたり考えたりすることができ（たとえば、人の立場にたって考えるなど）、脱中心化に向かい、客観性に至る。

④知覚は、現象的で、本質的に事実（資料）を提供するのであるが、知能は、事実（資料）をなんらかの枠組（たとえば、概念的枠組）によって解釈し、再構成を行なうことで事実（資料）をこえる。

⑤知覚は、能記（表わすもの）と所記（表わされるもの）とが分化していないのに対して、知能では、それらが分化したシンボル（たとえば、言語で、これは実際のリンゴをそれとは本来何の関係もないリンゴという文字記号や音声記号で表わす）を用いる。

⑥知覚では、抽象化がそれほど行なわれないのに対し、知能では、知覚的特性ではなくそのものの本来の特性をひき出すという抽象化が重要である。

⑦知覚は、形と内容とをきり離すことはできないが、知能は、形式と内容とを独立に操作することができる（たとえば、形式的操作期）。

⑧知覚の構成は、時間や空間や対象による制限を受けるが、知能の構成はそのような制限から自由である。

⑨知覚においては、よい形はプレグナンツの法則によるが、知能においては、よい形とは、論理的必然性による。

知覚活動と知能との類似性

知覚と知能のちがいについて、ピアジェの考え方をみてきたが、たとえば、錯視においてもある範囲内でしか錯視を許さないというある種の調整作用がみられ，これは知的操作との中間に位置することをみてきた。さらに，知覚では比較的はやくから恒常性という不変性に達するが，知能においてものちにみるように，対象の永続性や保存性という不変性の概念に達するというように，知覚と知能とには類似点もある。

ピアジェは，このような類似点を考えるうえで，知覚そのものと知覚活動とを区別する必要があるというのである。ピアジェによると，両者の区別は相対的とされるが，知覚そのものとは，中心化が行なわれると関係の全体がそのたびに変化するのに対して，知覚活動は，視線を中心化したり，その中心化を変化させたりして，比較するということと深くかかわっているとされる。そして，この知覚活動と知能とは，どこまでが知覚活動で，どこまでが知能かを正確にいうことはできないほどであるとされる。

ところで，大部分の錯視はどのような発達の水準においても，どのような種においても同じようにみられ，この限りでは，このような知覚の構造（全体的ゲシタルト）を規定している要因は，どんな水準でも共通であると考えることもできるが，ピアジェは，知覚にも発達による変化がみられるものもあるという事実を指摘している。ピアジェは，どのような発達水準でも共通したメカニズムは知覚そのものと関係していると考え，これは受容的で，直接的な知覚の場合にあたるとされる。これに対して，知覚活動は精神発達とともに変化するという。ピアジェは、ビネーの生得的錯視と獲得的錯視に対応する区分を行ない、それを第一次的錯視と第二次的錯視と呼んでいる。第一次的錯視とは、中心化の要因で説明されるものであり、相対的中心化の法則にもとづくとされるのに対し、第二次的錯視は年齢とともに錯視量が減少するものであり、これは図形に対する活動が増すとともに脱中心化の働きや、それにもとづく調整作用が増大することによるとされる。このように、知覚活動と関係したものは、比較や協調という働き（たとえば、一方に注意を向け、それと同じだけ他方に注意を向けるというように等しく交互に注意を向ける）により中心化の効果が修正され（脱中心化）、知覚の歪みが調整されると考えられている。この例として、視線の移動をあげることができる。これは、二つのものを比較するとき、交互に視線を移動させることによって、中心化した個所をそれぞれ頭のなかでひき合わせることになる。このように、交互に比較することは二重の移動となり、これによって一方向の移動による歪みを修正できるとするのである。

さらに、ピアジェは、知覚活動が知的合成と近いことを、ウズナジェの構えの実験によって示している。ウズナジェの実験とは、被験者に二〇ミリメートルと二八ミリメートルの円を同時に二つ、数秒間提示し、その後二四ミリメートルの円をそれらの位置に示すと、もと二八ミリメートルの円の位置に示された二四ミリメートルの円は、もと二〇ミリメートルの円の位置に示された二四ミリメートルの円より小さくみられるというのである。この現象をウズナジェ

表5　形成期Fと消滅期Eにおけるウズナジェの効果
（24 mm にたいする％）

	F 1	F 2	F 3	F 4	E 1	E 2	E 3
5〜6 歳（20〜28）	2.5	4.6	6.2	8.3	6.7	5.4	5.0
6〜7　（22〜30）	2.9	5.8	7.5	9.2	6.2	4.6	4.2
成　人（20〜32）	5.0	7.5	10.4	11.3	9.0	7.9	6.7

	E 4	E 5	E 6	E 7	E 8	E 9	E 10
5〜6 歳（20〜28）	5.0	4.6	3.9	3.7	3.9	3.7	4.2
6〜7　（22〜30）	3.7	3.3	2.9	2.5	2.1	2.1	1.7
成　人（20〜32）	6.2	4.6	4.2	3.3	2.5	2.3	2.1

（ピアジェ『知覚の年齢による発達』より）

は、構えと呼んでいるが、これをピアジェとランベルシェが、おとなと子どもに行ない比較している。結果は、表5に示してあるが、それによると、①先行経験の効果（もと提示された円の大きさによる効果）は、子どもにおいては一定であるのに、おとなでは強くみられること、②連続一〇回測定した結果によると、おとなではすみやかにこの効果が消失するのに対し、子どもではほじめから変化なくみられることが示された。このように、おとなでは先行経験の効果を受けるということは、一方を他方と比較するという知覚活動が行なわれているのであり、また、おとなにおいては、同じ円が連続して提示されることで、円が同じ大きさであると予測させることになり、先行経験の効果が減少するのに対し、子どもはこのような比較や予測に欠けるというのである。

このように、ピアジェは知覚の発達は知覚活動によるとするのであるが、これは、知覚活動には脱中心化、時間、空間的移動、比較、移調、予期といった働きがみられ、これらの働きによって柔軟で、可逆的な知的分析が可能となるというのである。そして、このような移動や移調や予期という働きは、のちでみる感覚運動的知能の活動のなかにみられることから、知覚活動は知能の機能である同化の働きと匹敵するものであるとされる。とくに移調は知覚的次元に属するあらゆる活動の縮約されたものであるとされ、のちでみるシェマ（行動様式）の波及の基礎となる般化的同化の働きに相当するとされるのである。

ピアジェは、このように知覚活動を感覚運動的知能に近いものとしてとらえ、知能の発達によって逆に知覚活動が操作の域にまで高められると考えている。したがって、ピアジェは、知能と知覚との関係について、はじめは知能が知覚に対して主導権をもってはいないが、知能の発達とともに知覚に大きな影響を及ぼすようになると考え、知能が知覚活動の基礎となっていくと考えるのである。

ところで、ピアジェは認識の過程を二つの側面に分けて考えている。一つは操作的側面と呼ばれ、実際の行為やのちの操作がこれにあたり、事物や事象の変換をひきおこす行為の側面に関係するものであり、操作（知能）の発達はまさにこの側面の発達を示すものである。もう一つの側面は形象的側面で、知覚や心像、記憶心像、模倣などがこれにあたり、操作的側面のように変換それ自体が問題なのではなく、事物や事象の状態に関する認識である。ピアジェによると、この二つの側面のうち、自律的に他の援助なしに発達するのは操作的側面であり、形象的側面は操作的側面の発達に影響され発達していくものであるとされる。そして、この二つの側面は相互に関係をもち発達していくと考えている。このように、知能と知覚の関係の問題は、認識の二つの側面である操作的側面と形象的側面との関係の問題としてみることもできるのである。

2　知能と運動（習慣）

これまでは、知能と知覚の関係をみてきたが、ここではピアジェの知能と運動（習慣）との関係についての考え方をみよう。

ピアジェによると、人間の発達過程で最初に現われてくる習慣として、親指を吸う、動くものを目で追う、音源を探す、吸ったり、見たりするためにものをつかむという行動があげられている。一般に、習慣とは反射から脱し、経験により習得された新しい運動的なまとまりをさし、その反応はきまりきった形であらわれ、無意識的に行なわれる傾向があるとされる。

この習慣は、一体知能の発達とどのような関係になっているのだろうか。習慣は、知能の基礎となっているのであろうか。それとも、知能とは関係のないものなのであろうか。

習慣と知能に関する諸理論

ピアジェは、知能と習慣の関係をその発生や形式に関する代表的な考え方を比較することによって、明らかにしようとする。つまり、非発生的観点からは、習慣は知能からひきだされるとし、知能は一種の能力であるとする生気説（知能－能力説）、習慣は、知能とは無関係であるとする先天説（先験説）、習慣および知能は構造化によるが、この構造化は発達とは無関係であるとするゲシュタルト説がみられるという。

同様に、発生的観点からもこれと対応する考え方がみられるという。すなわち、習慣は知能を説明する基本的事実とする連合説、習慣を、いろいろと試行錯誤（模索）を行なった結果選ばれた行動が自動化したものとし、一方、知能は模索によって特徴づけられるとする試行錯誤説、知能を同化活動と調節活動の均衡形態と考え、習慣は同化活動の最初の形態とする同化説という三つの説である。

まず、先天説は、知能は先天的に与えられているとし、一方、習慣は経験によって習得されるものであり、両者にはなんら関係がみられないとする。しかし、ピアジェは、知能の発達をたどることによって、反射から習慣、そして知的行動へという過程を示し、個々の知的行動は、以前の行動の影響を受け、それを基礎にして作られることを示しており、知能ははじめから与えられ、しかも経験の影響も受けないとは考えられないことから、この説をしりぞける。

生気説は、知能と習慣の間には、ある連続性がみられるとする。すなわち、習慣を単に機械的に、自動的に結びついた運動としてとらえるのではなく、たとえば、食物を得るというようなある種の満足の方向と結びついたものとしてとらえるのである。したがって、そこには、手段から目標へという基本的関係が前提としてあることになる。そして、この手段－目標関係とは知能の働きの特徴であるので、習慣の成立の基礎には知能の働きが必要だと考える。生気説では、このような知的作用は他のなにものにも環元できない作用と考え、知能を一種の能力ととらえるのである。この考え方に対して、ピアジェは、①習慣は、たとえば字を左右逆に書く場合のように、新たな行動（習慣）を習得するのと同じであるということから、知覚同様、非可逆的性質を持つのに対して、知能は、ある操作に対しては常にそれと逆の操作が含まれているという可逆的性質があるという点で相違点がある、②知能は、習得された習慣をそれほど変化させるものではない、③知能の発生より以前に、習慣はみられる、という点をあげ、生気説に反論し、習慣の形成は直接知能の発生からひき出されるものとは考えられないとするのである。このように、習慣はきまりきった行動で、自動的であるため柔軟性に欠け、その行動を変えるためには、一連の行動を部分的に切り離し、修正するということができないので、新たに行動を習得することと同じことになるが、知能は柔軟で、行動を変えるには単位となる行動（たとえば、シェマ）を他の行動と自由に組み合わせることによって容易になされるのである。

以上の先天説、生気説と先のゲシュタルト説は、それぞれ主張するところは異なるが、いずれも知能を生成、発展していくものとは考えないという点で共通点をもっている。このような点で、これらの説は非発生説とされるが、ピアジェは、知能を徐々に構成されるものととらえる点で、以上の考え方とは基本的に異なるのである。

つぎに、習慣も知能もはじめから与えられているものではなく、形成されるものとしてとらえ、その形成過程での経験の役割を強調する考え方がある。これは、連合説の考え方で、習慣は経験の受動的な連合により説明できるとし、この習慣から知能が出現すると考えるのである。この連合説の考え方は、条件反射や条件づけという形で知られている。この説明によると、もって生まれた反射に対していろいろな条件づけによって習得された行動がつけ加わり、徐々に多くの新たな行動が獲得されていくというのである。ピアジェは、感覚運動期の知能の発達のなかで、のちの発達段階はそれ以前の段階の影響を受けることを示しており、この限りにおいては経験が重要な役割を果たしていることを認めている。しかし、その経験が連合のメカニズムによるとする点で問題があるとする。ピアジェは、たとえば、条件反射は外界によって強化されていないと成立しない（パブロフの実験の場合、イヌはエサという強化が与えられないと、ベルに対してだ液を分泌しない）という点を指摘し、このように強化されるものであるということは、単なる連合ではなく、欲求や満足との関係で考えねばならないという。すなわち、連合は結果と目標との間を関係づけなければ成立しないというのである。こうして、行為はその行為の結果によってはじめて方向づけられ、その結果として連合が生まれるのであり、対象に対して能動的に関係づけを行なうことが連合をつくることとなると考える。すなわち、①経験は発達とともに重要となっていくが、経験を自分のものとしていくためには、経験を意味づけ、まとめていく（体制化）知的活動が必要であるとする。というのは、子どもは環境の側から一方的に変えられるのではなく、環境に対して能動的に自分を適応させていくのであり、このような意味で経験は受動的なものではなく、能動的な活動なのである。②経験は、それだけでは不十分である。というのは、経験がそれ自体として心のなかにきざみこまれるのではなく、環境に能動的に働きかけることによって経験を体制化したり、構成したりすることによってはじめて意味を持つと考えられる。したがって、経験の対象となるものは主体の活動からは切り離して考えられないのであり、両者の関係のなかで経験をとらえなければならないと考えられる。このように、ピアジェは連合説の考え方を批判し、知能と習慣との関係は連合説では十分に説明できないとする。

それでは、試行錯誤説はどうであろうか。ソーンダイクは、ネコを問題箱に入れ、その解決過程を調べ、ネコは新たな場面に置かれると、自発的にいろいろと反応を行なうことによって、偶然解決に至ることを示した。これは、同じ場面に何度も出合うと、問題解決に適した反応が強められ、不適切な反応は弱められるからであるとされる。この際、満足をもたらす反応が他の反応より強められ、再び問題場面に置かれるとその反応が生じやすくなるが、ソーンダイクはこれを効果の法則と呼んだ。ところで、ピアジェによると試行錯誤には二つの解釈が可能であるという。一つは、試行錯誤ははじめからなんらかの外界に対する理解に方向づけられており、偶然性というのは二次的なものであるとする考え方で、純粋な試行錯誤はないと考える。もう一つの解釈は、純粋な試行錯誤を認める立場である。クラパレードも同様に、試行錯誤を思考の働きの結果、関係の意識に方向づけられた組織的試行錯誤と、偶然的な非組織的試行錯誤とに区分している。そして、クラパレードは、はじめは非組織的試行錯誤が知能の基本的な事実と考えていた。すなわち、非組織的試行錯誤を通して経験の影響を受けながら、そこから関係の意識がめばえ、組織的試行錯誤が発達すると考えていた。しかし、のちにクラパレードは大人の被験者を用いて、たとえばマンガを示してその場を記述させたり、あいまい図形を解釈させたり、欠けた文を補足させるといった課題を用いて、課題解決中にみられる仮説の発生について調べ、①二つの試行錯誤は異なったものではなく、その間に中間の形態を含んだ質的に同じもので、程度の差にすぎないこと、②非組織的試行錯誤は、それ自体ある程度方向づけられており、まったくデタラメな試行錯誤はなく、常になんらかの目的の達成や欲求の満足という働きをもち、そのように方向づけられている。そして、試行錯誤は、達成すべき目標との関係で行なうべき行為を選ぶように方向づけられ、さらに新たな関係の発見をもうながすものであること、③非組織的試行錯誤は、目標と手段との関係の意識を前提としており、この関係は経験に順応するための基本的なメカニズムを基礎とし、このメカニズムは含意作用であると考える、というような理由から、はじめの考えを変えるようになったといわれる。

ところで、含意作用とは、AがBを必然的に含んでいるということを意味している。クラパレードは、これを欲求と目標とを結びつけるものと考え、この作用によって行動が目的の方向に導かれるとし、非組織的試行錯誤より目的に方向づけられた組織的試行錯誤が重要なものとして考えられるようになったのである。このように、クラパレードは、はじめは純粋な試行錯誤を認めていたが、のちにもっとも初歩的な試行錯誤でさえも目的の意識や欲求によって方向づけられていると考えられるため、行為や興味のなかに存する基本的含意作用が試行錯誤の前提となると考えるに至った。さらに、クラパレードは、条件反射も含意作用で説明できると考えた。たとえば、ベルの音に対してエサがほぼ同時に与えられると、つぎにベルだけ与えられても、エサが与えられたときと同様に唾液分泌をする。クラパレードによると、これはベルがエサを含意しているからであって、連合説のようにベルとエサとの反復を必要とはしないという。というのは、ベルのみを与えてエサを与えないようにすると、だんだん唾液分泌が消失する。これを実験的消去というが、連合説では、はじめベルに対して唾液反応が結びついているのだから、それがくり返し行なわれるなら、この結びつきがより強くなると考えられるはずなのに、逆に消去されることから、連合では説明できないというのである。クラパレードは、はじめ含意作用によって欲求と目的とが結びついていたのが、ベルだけしか与えられないと、ベルがエサを含意している（意味している）という期待がくずれさることとなり、消去されるようになると考えるのである。そして、ベルがエサとしてみなされるのは、この結びつきが最初から必然的なものとして現われる場合と考える。このように、クラパレードは、試行錯誤を欲求や問題によって方向づけられていること、そして、試行錯誤の前提として含意作用があるというように考えているのであるが、ピアジェは、クラパレードの考え方には、はじめ関係のないものが必然的なものとして受けとられ、含意しあうようになるとしても、その必然性についてはなにも説明しないという問題点があると指摘している。ピアジェは、この問題に対して、同化作用によって説明できるとするのである。すなわち、シェマ（行動様式）は、外的条件が反復されて形成されるのではなく、外的条件に応じて以前の行動を能動的に再生し、適応することによって形成されると考えるのである。

このように、ピアジェは、クラパレードの含意作用は能動的なシェマの再生という同化の働きによって説明できるとし、試行錯誤説には限界があると考えている。

つぎに、ピアジェの同化説をみてみよう。

て説明できるとするのである。

感覚運動的同化作用と知能の発生

知能や習慣の成立や発生の説明として、いろいろな考え方をみてきたが、それらはいずれも十分な説明ではないとされる。ピアジェは、知能や習慣の形成・発生を同化という働きによって説明できるとするのである。

(1) 同化と調節

ピアジェは、知能を一つの適応と考え、生物学的適応の一特殊例と考えている。そして、心的発達には変化しない部分と変化する部分があることを指摘し、この区別を行なわないためにいろいろ混乱や問題が生じると考えている。ピアジェは、知能の発達において変化するのは構造（内容）であり、変化しない部分は機能であると考えている。この発達とともに不変な機能には、同化と調節があり、知能はこの同化と調節との漸進的な均衡化であると考えられている。同化とは、すでに持っている行動様式（シェマ）を用いて、外界を自分の中に取り入れることである。一方、調節とは、すでに持っているシェマでは同化できないとき、そのシェマを外界に合わせて修正し、外界を同化しようとするのである。そして、外界をあるときは同化し、あるときは調節するというように、無理に同化ばかりや調節ばかりをせず、この両者を使いわけることによって知能が発達していくと考えるのである。ところで、同化という働きを知的活動の基本的なものと考えた理由として、ピアジェは、①同化は、生物学的器官の活動と心的活動の両方に共通した過程であり、生物学と心理学との共通概念をなしていること、②同化には、心的生活のもっとも基本的事実であるとみなされる反復が考えに入れられていること、③同化の概念は、最初からその反復のメカニズムのなかに新しいものと古いものとを協応させるという要素が含まれていること、という理由をあげている。

つぎに、具体的に同化作用によって反射という生得的行動を基礎とし、習慣が形成され、やがて知能が現われるというピアジェの知能の構成過程をみてみよう。

(2)　**感覚運動期**　ピアジェは、言語の発生以前の時期を感覚運動期とよんでいる。この時期は、まだ表象機能を持たないので、目の前に存していない人やものについて頭のなかで想いうかべることはできない。したがって、子どものまわりの世界についての認識も、ものと直接接するという知覚や運動に依存することになるのである。しかし、一方でピアジェは、この時期をその後の知能や知覚を構成するための出発点となる認知的基礎を形づくるという点で、重要な時期と考えている。

この感覚運動期は、六つの下位段階に区分されている。以下、簡単にその特徴をみてみよう。

(イ)　第一段階（〇〜一ヵ月）――反射の行使――　この時期は、生まれながらにして持っている反射を基礎として、外界に適応していく。反射のうち、たとえば、吸乳反射などのように将来にとって重要である反射は、練習（機能的練習）によって安定し、確実なものとなる。

この反射という生得的メカニズムの水準においても、練習をするかのように同じ行動を同じ対象にくり返し適応するという再生的同化、たとえば、吸うというようなある行動様式（シェマ）を、いろいろな対象に適応し、いろいろなものを吸うようになるという般化的同化、そして、いろいろなものを吸うなかで、これは前に吸ったことがあるものであるか、そうでないかを区別できるようになるという再認的同化というように、反射という行動を基礎にしながらも、その行動を安定化させ、いろいろな対象にも適用できるようになっていく。このように、この時期では反射的行動の域をまだでないが、行動を環境に適応的に修正していくことがみられる。

(ロ)　第二段階（一～四ヵ月）――最初の獲得的適応と第一次的循環反応――　この時期は、反射の行動のみでなく、新たな行動が獲得されるようになる。この新たな獲得的行動を、ピアジェは習慣と呼ぶ。これは、第一次的循環反応という再生的同化の働きによって獲得されるのである。第一次的循環反応とは、赤ん坊がたまたま自分の指をしゃぶると、この快感の強い行動を何度もくり返そうとするというように、たまたま行なった行動の結果が興味をひくものであると、その結果を再び生じさせようとして、いろいろ行動を試み、そのうち成功するようになり、この行動がくり返し行なわれる。この第一次的循環反応は、行為そのものに関心があるのが特徴とされ、のちの第二次的循環反応と区別される。このようにして、新たな行動が次々と獲得されるが、行動が獲得され安定的になるのは、連合という働きによるのではないとする。先にみたように、ピアジェによると、達成された結果が要求を満たすかぎりにおいてのみ安定化するというのである。ところで、この習慣は、まだ知能とはいえないのである。というのは、知的行動は目的と手段とが分化し、目的に対して手段が探求されるのであるが、習慣においてはこの目的と手段の区別がないというのである。しかし、習慣は、反射とくらべると空間的・時間的にも適用範囲が広くなっている。

(ハ)　第三段階（四〜八ヵ月）――第二次的循環反応および興味ある光景を持続させる手法――

この段階では、偶然獲得された習慣から意図的に行なわれる知的行動への漸進的移行がみられる。ここではシェマ間の協調が可能となり、たとえば、見るというシェマとつかむというシェマを協調し、見たものをつかむというように、視覚と把握の協応が生じる。このような行動の出現は、第一次的循環反応と類似した第二次的循環反応によるとされる。第一次的循環反応が行為そのものに中心化しているのに対し、この第二次的循環反応は自分が行なった活動がひきおこした環境のなかの変化に興味をもち、その活動を繰り返すのである。このように、対象に関係した行動は第二次的循環反応と呼ばれるが、この行動ははじめは単純な習慣のなかであらわれる。たとえば、天井からぶらさがっているヒモをひっぱると、その結果自分の上にぶらさがっているガラガラを動かすことになるという状況では、子どもはヒモをひっぱる（手段）ということが、ガラガラを動かすことになる（目標）という結果を予期しているわけではないが、この行動を繰り返す。ここではまだ、目標が手段の先に設定されているのではなく、たまたま行なった行動（手段）が興味ある光景をひきおこす（結果）というように、目標と手段とが逆転しているのであり、このような点でまだ知能とはいえないのである。この第二次的循環反応の結果として、一つは他のガラガラをみてもヒモをさがすというように、目標や手段という分析的な行動がみられるようになること、そして、新しい光景に対しても、同様にヒモをさがしてその光景をひきおこそうとするように、能動的に般化するという、二つの新たな傾向がみられる。このように、第二次的循環反応は内部的には分節化し外部的に般化するということを示しており、知能の出現の近いことを示している。

㈡　第四段階（八〜一二ヵ月）――第二次的シェマの協応と新しい状況への適応――　この時期から、知的行動がみられるとされる。この時期においては、前の第二次的循環反応によって得られた新たな行動様式が、相互に協調し合うようになるのである。このようなことから、目的と手段とがはっきりと分化してくる。たとえば、ものがつい立てのうしろに半分みえるようにかくされていると、子どもはそのものをつかむため、つい立てをとりのぞき、ものをつかもうとする。すなわち、ものをつかむという目的のため、つい立てという障害物をとりのぞくという手段が選ばれるのであり、目標が手段以前に設定されているというのである。この水準では、手段が目標に対して選択されるというように、柔軟性が増してくるが、まだ新たな手段の発見までにはいたっていないのであり、すでにもっている行動様式を手段として選択するにすぎないという点で、つぎの段階とは区別される。しかし、これ以前の行動とは、柔軟性とシェマの適用範囲の拡大という二つの点で進歩を示している。

(ホ)　第五段階（一二〜一八ヵ月）——第三次的循環反応と能動的実験による新たな手段の発見——　この段階は、いろいろなシェマの分化によって新たな手段を探索するという、知能にとって重要な反応が加わってくる。すなわち、第三次的循環反応がみられる。これは、今までの循環反応とは異なり、手段（活動）をいろいろ変化させて、その結果のちがいをみるというように、能動的実験によって新たな手段を発見することができるようになるのである。すなわち、これは自分のもっているシェマで同化できないときには、そのシェマを修正するという調節の働きが目立ってくる。このように、同化と調節の働きが第五段階で相互に分化し、相補的に働くようになるのである。たとえば、子どもが直接ものを手にすることができない場合に、子どもは自分と目標との間に置かれた物（たとえば、興味のあるものが乗っている台とか毛布など）をつかみ、ひっぱることによって目標物を手にすることができる。以前の段階では、まだ毛布という手段と目標物との間に意味づけがなされていないのであるが、この段階では能動的な調節のため意味づけがなされるようになるとされる。ピアジェは、模索は能動的な調節の一部であると考え、純粋な模索は考えられないと考えている。

(ヘ)　第六段階（一八〜二四ヵ月）——心的結合による新たな手段の発明——　この段階では、

つぎの前操作期への移行期にもあたるのであるが、第五段階のように能動的な実験によって新たな手段が発見されるのみでなく、頭のなかでいろいろなシェマの協調ができるようになり、たとえば、ケーラーのチンパンジーの棒の使用でみられた、突然の再構造化というような現象もみられる。この時期では、今までの時期で徐々に構成されてきたシェマやシェマ間の操作が非常に柔軟に行なわれるようになる。そして、だんだん行動を内面化することができるようになり、頭のなかでいろいろなシェマを協調させることができるようになるのである。この行動の内面化には、表象機能の発達が大きな役割を果たしている。その証拠として、ピアジェは二つの事実をあげている。その一つは、延滞模倣ができるようになることである。この延滞模倣は、モデルが現実の場から消えてしまったあとで、その模倣を行なうことで、そのためには頭のなかにそれまでの間、なんらかの形で保持しておくことができることを示している。また、もう一つの事実とは、象徴あそびを行なうということである。これは、ままごと遊びのようなゴッコ遊びがこれにあたる。ここでは、たとえば小石をアメ玉にみたてて遊ぶということが行なわれる。このように、能記（表わすもの）と所記（表わされるもの）との分化がみられるということが、表象機能の出現を表わしており、この時期の知的発達に大きな影響を与えることになる。感覚運動期では、この表象機能がみられるまでの時期にあたり、それゆえに、感覚や運動に大いに依存することとなるのである。ところで、このような知的シェマや知的機能の発達ともに現実の認識も進んでいくのである。この現実の認識はその後の知的発達の枠組として大切なものである。

●対象の構成と空間関係の構成

これまで、知能と知覚、知能と習慣の関係をみてきた。ピアジェによると、これらはいずれも同じ源泉をもち、その類似点は感覚運動的同化作用にもとづいているとされるが、その働く水準が異なると考えられている。しかし、これら三者の相互の関係については明らかにされていない。ピアジェは、これを対象や空間の概念の構成過程をみることによって、明らかにされると考えている。

(1) **対象の永続性**　対象の永続性とは、ものがみえなくなっても存在し続けていることがわかるということであり、これはのちの保存性の概念と同様に不変性の認識なのである。この不変性は、知覚では恒常性という形でみられるが、ピアジェによると、これらはいずれも一連の運動的習慣にもとづくとされるのである。つぎに、対象の永続性の発達について、知能の六段階と対応させてみてみよう。

(イ) 第一段階　まだ、対象の概念は存在していない。というのは、この時期の行動は場面への反応であり、対象を必要としないからである。

(ロ) 第二段階　動いているものを目で追うことや、それが消えたときにさがしたり、音のする方へ頭を向けたりという対象の永続性のはじまりと考えられる行動がみられるが、ピアジェは、これらの行動は知覚的な予期や期待であると考えている。すなわち、直前の知覚や運動に規定されており、場面のなかから特定のものをさがすという行動はまだみられないからである。このように、はじめの二つの段階では、子どもは視野からみえなくなった対象を再び得ようとさがす行動はみられない。せいぜい、対象の最後にみえた位置をみつめるぐらいなのである。

(ハ)　第三段階　この時期は、知的発達では目と手の協応がみられるようになる。一方、対象の永続性の発達では、二つの特徴がみられる。一つは、消失した対象をさがすという行動のはじまりがみられることであり、もう一つの特徴は、対象の一部分からその対象の全体を予期することが可能となるということである。この段階の子どもは、したがって、視野から完全にみえなくなった対象をさがそうとはしないが、部分的にかくされた対象についてはさがすことができるようになるのである。しかし、この段階の子どもは、みえなくなったものは存在していないと考えているかのようにふるまうのであり、この点で対象の永続性はまだみられないとされる。

(ニ)　第四段階　この時期からは、みえなくなったものをさがすという行動がみられるようになる。はじめは、子どもが対象をつかもうとして手をのばしている途中で対象にカバーがかけられたときだけ、対象をさがすことができるが、その後、このような制限がなくてもさがすことができるようになるのである。このことは、対象の永続性のはじまりを示していると考えられる。ところで、この時期では、子どもの対象の永続性の特徴を示す興味深い現象がみられる。それは、ある場所Aで対象がかくされ、その場で何度かその対象をさがすのに成功した後、子どものみている前でちがった場所Bに同じ対象をかくすと、子どもはもとの場所Aにさがしにいくという行動がみられるというのである。これは、対象を前にうまくさがしだすのに成功したという行為と結びついているためであるとされ、したがって、この時期の対象の永続性はまだ行為と結びついていることがわかる。

(ホ)　第五段階　この段階では、このような制限がなくなる。すなわち、それ以前にどこにかくされようとも、最後にかくされた場所をさがすことが可能となる。しかし、目にみえるところではなく、たとえば、箱にボールを入れ、それをゆすって音を聞かせてから、みえないようにスクリーンのうしろでボールを床に落とし、子どもに空になった箱を示すと、子どもはスクリーンのうしろでボールをさがそうとするかわりに、おどろいて箱をゆするというように、みえない移動の場合にはできないのである。ここでは、子どもは連続する運動を知覚の助けで再構成できるが、知覚の助けなしではまだ再構成できないのである。

(ヘ)　第六段階　目の前で対象が移動され、かくされなくても、みえないところで対象が移動され、かくされても、かくされたところを推理によってみつけることができる。
このように、対象の永続性は、運動と結びついていることがわかる。

(2) **対象の永続性と知覚の恒常性**　対象の永続性と知覚との関係も密接である。知覚の恒常性は、ピアジェの知能の段階では、感覚運動期の第四～第五段階で完成される。たとえば、形の恒常性をみると、第三段階の子どもは、ものの一部から全体をおしはかることができるようになる。したがって、哺乳ビンをさかさまに与えると、子どもは乳首がみえないとひっくり返すことはしないが、少しでも乳首がみえるとひっくり返して乳首を吸う。この場合にはまだ形の恒常性はみられないが、一度恒常性が完成されると、どのような状況で哺乳ビンが渡されても、子どもはそれをひっくり返し、乳首のところを吸うようになるというのである。このことは、対象の永続性の完成が知覚の恒常性と深くかかわっていることを示すものと考えられる。

知覚のところでみてきたように、知覚活動は感覚運動的知能の一つの側面であると考えられ、恒常性は知覚活動（移調や移動とそれらの調整作用によるとされる）の働きにもとづいているのであるから、恒常性も永続性も感覚運動的同化作用という同じ働きにもとづいているといえる。ただ、感覚運動的知能が知覚の場をこえて予期や関係づけにより、以前のものを再構成するのに対して、知覚は直接関係している場合にかぎられた側面であるといえる。このように、ピアジェは知覚の恒常性も対象の永続性も同じ同化作用にもとづいていると考えている。

(3) **空間関係の構成**　つぎに、運動と知能との関係について、子どもの空間関係の構成をみることで明らかにできると、ピアジェは考えている。

ピアジェによると、感覚運動的知能における空間の構成は、運動がだんだんと体制化されることによって行なわれるというのである。

(イ) 第一・二段階　ここでは、口に関する空間、視覚に関する空間、聴覚に関する空間、触覚に関する空間というように各感覚器官にバラバラに存在し、全体として一つの空間が存してはいない。

(ロ) 第三段階　ここでは、はじめて個々バラバラに存在していた空間が、だんだんと協調されるようになる。これは、シェマの発達のところでみたように、目と手の協応というようなシェマ間の協応が進むためである。しかし、活動や知覚をこえた客観的空間は、まだできていないのである。この段階では、まだ対象の永続性は成立していないし、自己中心的である。

(ハ) 第四段階　ここでは、あるもののうしろにものがかくされているとか、あるものの下にものがかくされているというような場合に、みえなくなったものをさがすことができるようになるが、これはものの前後関係－上下関係がわかることを示しており、自分とものとの関係とともに、ものとものとの関係もわかり、だんだん空間が客観化されてくる。

(ニ) 第五段階　ものとものとの関係がわかるようになるとともに、自分の身体とものとの関係も理解できるようになってくる。とくに、ものとものとの関係では、ものをAからBへ動かしてはもどしたり、ものを箱のなかに入れたり出したり、ものを回転させたりもとにもどしたりするということができるようになる。ここでは、もどりみち（可逆性）や位置の保存（同一性）などが可能となる。

(ホ)　第六段階　この段階になると、同じ場所へ行くのに異なった道を通って行くというように、まわりみち（結合性）が可能となる。また、自分の移動とともにものの位置関係もかわる（行きと帰りで方向が逆になるなど）ことが徐々にわかるようになる。

このように、空間関係の発達は以上の過程をたどり、最終的には合成性、可逆性（もどりみち）、結合性（まわりみち）、同一性（位置の保存）が行なえるようになるのであるが、ピアジェはこれが群の特徴であることから、空間関係の発達は運動がだんだんと体制化されることによって、群の構造へと向かうとするのである。ポアンカレは、このような群（移動群）を生得的と考えたが、ピアジェは、これが構成されていくものであることを示しているのである。

このように、知覚と運動と知能の関係をみてきたが、この三者の関係を、つぎのようにピアジェは考えている。すなわち、これら三者は、感覚運動的同化作用という点では機能的に連続したものであるが、構造的に異なるというのである。さらに、感覚運動的知能は、生まれながらにしてできあがっているものではなく、対象との直接の接触（知覚）や、知覚と運動との自動的な結びつき（習慣）などをこえることによって、だんだんと対象をひろげ、時間的、空間的にもひろがりをもち、柔軟性と可逆性をもった操作の獲得へと進んでいくというのである。この感覚運動期においては、まだ知能は不完全なものではあるが、行動の水準では明確に知的行動を示しており、表象機能や反省的思考などの働きにより、操作的知能が出現するにいたり、より高度の知的働きが可能となるというのである。

第4章　知能の発達

1　知能発達の段階

◉ 均衡化の過程としての知能

ピアジェが「知能の発達」というとき、それはほとんど「思考の発達」というのと同じような意味をもっている。というのは、前述したように、ピアジェは「知能」を「子どもが環境に適応する際の均衡化の過程」と考えているのだが、この均衡化の結果、子どもの中に思考と呼ばれるものが形成されることになるからである。

子どもが環境に働きかけるとき、そこには大きく分けて二つの過程がある。その一つは、ピアジェが「同化作用」と名づけた過程で、子どもが環境に変化を加えて自らの中に取り入れる過程である。他の一つは「調節作用」で、これは、子どもが自分自身を変化させて環境に適応する過程である。この二つの過程は、ピアジェによると補い合うような関係にあって、両者が均衡状態に達するとき本来の適応が達成されると考えられている。

ところで、知能をこのように均衡化の過程だと考えると、知能の発達を説明するためには、そのような均衡化が子どもの発達の各段階でどのように達せられるか、また、その際環境のどの部分が子どもの心身のどの部分とどのような関係によって均衡化するのかを説明しなければならなくなる。

ピアジェ自身は発達段階というものは均衡化の結果として形成されるものだと考えている。ある段階がそのようにして形成されると、つぎの段階はすでに形成されている段階の基礎の上に形成されるという関係がある。

●発達段階と知能

ピアジェは知能の発達を大きく四つの発達段階に分けて説明している。この四つの段階のうちの最初の感覚運動的知能の段階はさらに六期に区分されているが、この区分については第3章で触れたから、ここでは、四つの段階に分けてそれを概観してみたい。

(1)　**感覚運動的段階（〇～二歳）**　この段階は、ピアジェが「言語が出現する以前の段階」と考えた段階である。言語は、この段階のおわり一歳半から二歳頃にかけて子どもに生じる広範な象徴活動の結果あらわれてくると、ピアジェは考えている。ピアジェにとって、発達段階を画す年齢の数字は大よその数字を示しているのであって、この段階は「〇歳から言語が出現する頃まで」という意味にとってよいだろう。以下、各段階を区画する年齢についても同様に大よその数字を示したものだといえる。

この感覚運動的段階の子どもの行為に観察される顕著な発達的特徴の一つは、ピアジェによると「対象物の不変性」の獲得である。後節でも触れるが、子どもをとりまく環境には、おとなの目からみると「物理的環境」と人間的接触を含めた「社会的環境」とがある。ところが、この年齢の子どもたちは、それらをとくに区別することなく、あたかも目前に示された絵でも眺めているように環境を知覚している。その環境場面が取り去られると、それを忘れてしまうということもしばしば生じている。しかも、子どもはこのような状態の中で、「対象物がそこにあるということ」自体を理解できるようにならなければ、つぎの段階の発達に進めないのである。ピアジェがしばしばあげている観察の例に、ソファーのうしろに転がっていったボールを幼児が探そうとする行為がある。このような行為が生じるのは、対象物としてのボールがそこにあるはずだということが具体的な遊びの場面で子どもに理解できたということを意味している。この理解をピアジェは「対象物の不変性」の獲得と呼んでいる。しかし、ここで注意したいことは、不変性といってもそれはこの発達段階の子どもにおける不変性であって、おとなの思考における「物質不滅の法則」というような厳密に形式化され、論理化された不変性ではないということである。感覚運動的段階の不変性とは、子どもが身近の具体的な環境に接し、その中で自らが知覚し、それに応じた行動を行なうという中で理解されているかぎりの不変性である。したがって、このような具体物の支えがなくなると、不変性といってもそれが忘れ去られることも生じうるのである。つまり、この年齢段階での子どもの不変性は時空間的にも限られ、与えられた具体的場面でのみ有効である不変性だということもできる。

(2) **前操作的思考（二～六、七歳）**　この年齢段階の発達の大きな特徴は、一歳半から二歳頃にかけて生じる象徴活動の結果、子どもに、さまざまな象徴、たとえば描画、工作等、ピアジェが象徴的遊びなどと並んで心像と呼んだり表象と呼んだりするところの働きが生じるということである。心像や表象が生じるということは子どもが経験したことを心の中でイメージとして思い浮かべることができるということで、言語の使用もこの同じ働きに支えられている。たとえば、子どもが経験したことを身振りで表わしたとすれば、身振りは経験を象徴しているのであって、そのような身振りを経験をした後に時間を経て行なえるということは、何らかの意味で子どもがその経験したことのイメージを保持していたからにちがいない。

言語学、とくにソシュールの言語学では、ことばの意味作用を、能記と所記の連合として説明している。能記とは「意味するもの」の心の中に内面化されたイメージであって、言語の体系の中ではある語の音声的イメージであると定義されている。それに対して所記は「意味されるもの」のことで、それは心の中に内面化された対象物（語が表わすところのもの）のイメージであると考えられている。連合とは、この場合には、能記が所記と結びついて使用できるということを指している。

ところで、ピアジェは自らの発達説の中で、このソシュールの能記と所記という用語を採用し、言語も象徴を能記とし、それらによって子どもが意味する事象を所記であると説明している。ピアジェは、子どもの発達の過程で象徴や言語の発達過程そのものを研究対象にしているので、ソシュールが完成された言語体系にのみ能記と所記の定義を与えたのとくらべて、ピアジェのほうは、やや広い意味で能記と所記の用語を用いている。また、この能記と所記との関係が社会的に承認された関係である場合を記号あるいは言語と呼び、個人的なものである場合には象徴であるという区別も立てている。しかし、共通の特徴としてはそこに意味するものと意味されるものの関係があるという点には変わりはない。

心像や表象が生じるということは、それ自体として発達段階が進んだことを意味している。感覚運動的段階の子どもの行為は具体的な環境そのものに強く依存していたのに対して、心像や表象を持つことができると、その心像や表象を用いて、具体物から以前よりもはなれて行動や思考ができるようになるからである。ピアジェは、この段階になって始めて本来の思考と呼べるものが子どもの中に生じると述べているし、また、この段階で生じる思考を「表象的思考」とも名づけている。

ところで、この前操作的思考の段階と名づけた年齢で、子どもに一般的な思考を行なう材料であるイメージや表象が生じるのであるが、それらのイメージや表象はまだ相互に関連づけられていないし、子どもの興味や関心によって選ばれ、用いられているということを、ピアジェは強調している。ピアジェにとって、思考が正しく用いられるということは、論理的に思考ができるということとほぼ等しいのだが、この段階の子どもはまだ、その論理的な思考が十分にはできないということをピアジェは指摘しているのである。

ピアジェは、論理的思考を前提あるいは与えられた規則にしたがって推理を正しく行なっていく思考過程のことであり、しかもそれは記号や言語の上のみで行なわれるものであると考えている。また、ピアジェは、そのような論理的思考は思考すべき課題の各要素の間の相互の関係がよく調整され、しかも、部分と全体との関係に子どもの注意が行きわたり、全体として均衡した関係構造を持つことができることにより実現するとも考え、そのためには、すでに述べたような心像や表象が相互に無関連なバラバラの状態で意識化されるのではなく、相互に関連づけられることによって正しく用いられなければならないと考えている。ここで、強調されていることは、相互に関連づけられ、一つの均衡形態として構造化すること自体が、思考を論理的にするということなのである。

たとえば、ピアジェはここで七歳ぐらいまでに数や量の「保存」と呼ばれるものが獲得されるということを確かめている。

子どもに形の同じコップAとA′に、同じ数だけのビーズを入れさせる。両方のコップに入っているビーズの量が同じであることを子どもが確認したあとで、A′のビーズをもう一つ別な背が高く、幅がせまいコップBに移してから、コップAのビーズとコップBのビーズが同じ数かどうかを子どもにたずねると、四、五歳の子どもの多くは量が変わったという答をする。というのは、子どもの思考はまだ知覚に左右されていて、コップＢの背たけのほうに注意を向けた（幅の方を見落としている）子どもは、量が増えたと考え、幅のほうに注意を向けた（高さを見落としている）子どもは、量が少なくなったと考えてしまったのである。

この課題を同じ量の水を用いて行なっても同じような答が子どもから得られるが、ピアジェはその理由は、子どもが高さと幅という両要素を同時に考え、心の中で論理的にかけ合わせることができないためであると考えている。つまり部分と部分との関係あるいは部分と全体の関係を均衡させることができないのである。心がある要素から他の要素に行ったり来たりすることができないのである。しかし、子どもは六、七歳になるとこのような心の働きができるようになり、「ビーズを元のコップ（Ａ′）に戻せば、元どおりになるから」とか「元のビーズをとったり、またそれに加えたりしていない」という理由から、移されたビーズの量には変わりはないという判断ができるようになる。

このような状態をピアジェは量の保存と呼んでいる。数の保存や、長さの保存なども、同様な過程を経て獲得される。

ところで、ピアジェは、同じであるということ（同一性）、ビーズを移すということ（移動）、ビーズを戻すということ（逆の移動）、あるいは、加えること（加法）、減ずること（除法）などの一連の働きを、とくに「操作」と呼んでいる。操作とは、ピアジェによると「内面化し、可逆性を持った行為」であると定義されるが、前述の心像や表象の中で、ある論理的な思考課題を遂行するために相互に関連づけられて働く心像や表象の働きであるということもできる。

たしかに、この発達段階の子どもの思考の中には各種の操作が生じているが、それらの操作はのちの発達段階における操作とくらべて少し異なる面がある。その一つは、その操作は具体的事物を扱うことによって論理的操作として働いているということである。つまり、まだ、感覚運動的な具体物の支えを必要としているのである。つぎに、このような操作は一般には六、七歳に獲得されるのであるから、この発達段階は、各種の基本的な概念の保存が操作の群によって形成される準備段階であるということもできる。

ピアジェが、この段階を前操作的思考の段階と名づけているのは、このような理由によると考えてよいだろう。

(3) 具体的操作（六、七～一一、二歳）　ピアジェが具体的操作と名づけている発達の段階は、子どもに各種の基本的な概念が生じ、かつ、具体的な事物を取り扱っているかぎり子どもが論理的思考を行なうことができる段階のことである。

子どもが身辺の環境に生起する事象を分類し、順序づけるということは、子どもの思考の発達にとっても重要な側面である。ところが、この年齢の子どもはそのような分類や配列ができるようになるのである（この点については、第2章で赤いバラの例をもって述べられている）。

たとえば、子どもがスズメが鳥の一種で、また動物の一種で、しかもそれは生物の一種であるということが正しくわかったとすれば、つぎのような分類ができているはずである。

スズメ（A）＜鳥（B）＜動物（C）＜生物（D）

この関係は「類（クラス）の内包」と呼ばれるが、図示すれば、図1のようになる。そして、もし、子どもがこの類の含み込み関係を理解しているならば、A＋A′＝B、B＋B′＝Cや、B－A′＝A、C－B′＝Bなどの関係も同時に理解できているということになる。しかし、具体的操作の段階といっても、そこには七歳から一一歳までの年齢幅があるから、このような三重、四重の含み込み関係をすみずみまで理解するのは、この段階の後半に入ってからである。前半では、せいぜい二重、三重の含み込みの関係が理解できる程度である。すべてを尽くすということは、すべての組合せを考えることができるということで、この組合せの操作の発達は、一一、二歳頃にならないと完成しないようである。たとえば図1で「生物からスズメをとり除いたものは、鳥でないものに何と何を加えたものか？」といった質問に対する答はおとなでも迷うかもしれない。

この発達段階に子どもが獲得する基本的な概念は数や量にかぎらず、他に長さや面積、あるいは距離や時間などの概念がある。これらはいずれも、ビーズの例で示したようないくつかの

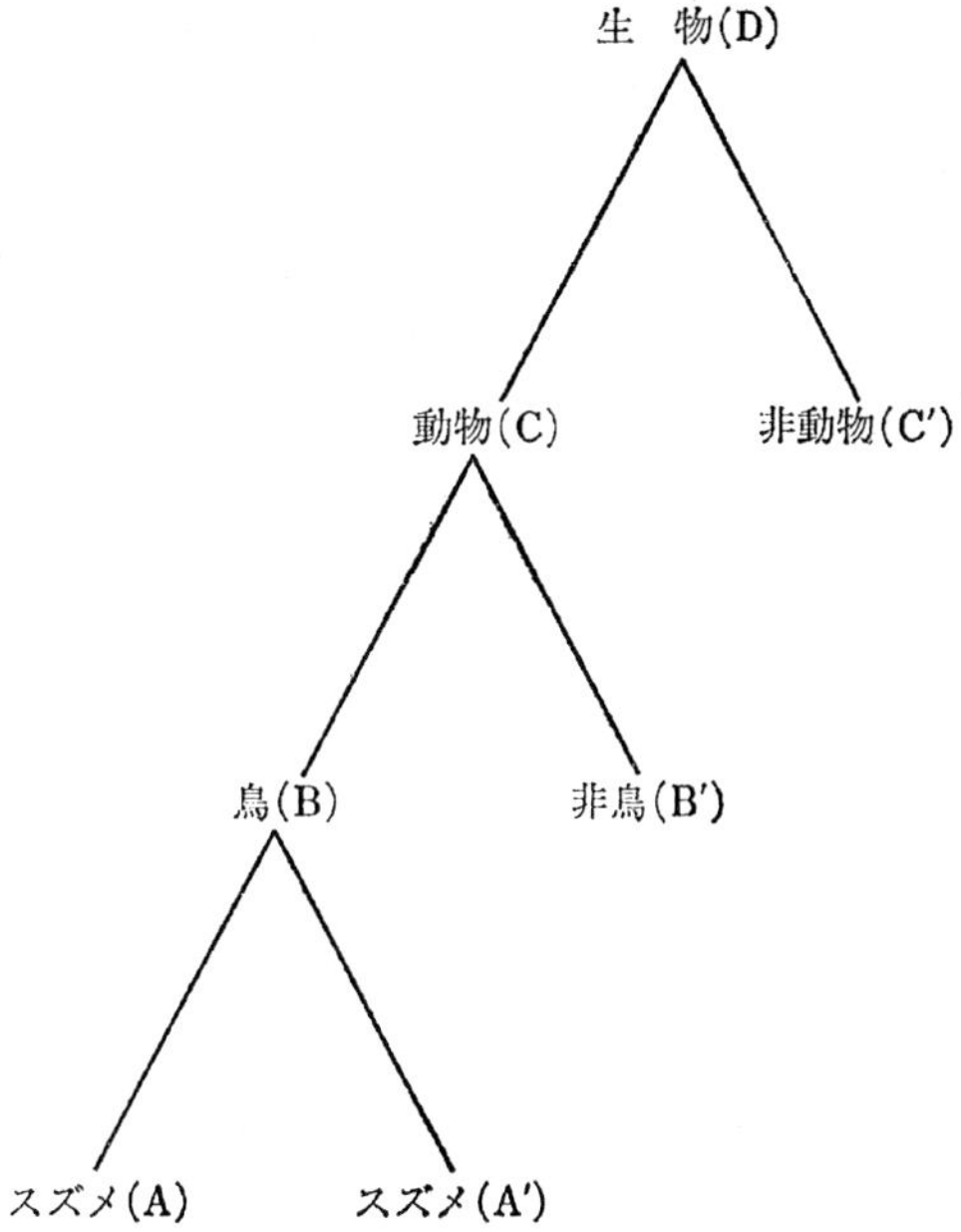

図 1

基本的な操作を相互に関連づけて、全体として理解したときに得られるもので、ピアジェは概念という代わりに「保存」という用語で呼ぶことも多い。ピアジェは、子どものちの発達やおとなの論理的思考で用いられるような厳密に論理的な概念を「概念」と呼び、とくに具体的操作の段階でみられるような、具体的な事物を直接用いることによって論理的に遂行されるような理解は「保存」と呼んでいる。

具体的な事物を用いるから論理的な思考ができるという例として、ピアジェは、長さの異なる何本かの棒を長さの順序に配列する実験をあげている。五、六本から一〇本程度の棒を長さの順に配列することは、七歳ぐらいで可能になるが、それ以前の段階ではかなり困難で、子どもはきれいに順に並べるのでなく、試行錯誤をしなければ並べることができない。ところが七歳以後になると「すべての棒の中で一番短いもの」をまず取り出し、つぎに「残ったものの中で一番短いもの」を取るというように組織的に配列をすることができるようになるのである。ところが、このような配列関係の問題を純粋にことばの上だけで与えてみると、七歳以後になっても正しい判断ができないことがある。ことばだけで、たとえば「次郎は太郎より背が高く、次郎は三郎よりも背が低い。だれが一番背が高いか？」というような問は、ことばの形式の上だけで大小を判断し、全体を配列して推論しなければならないから、この年齢の子どもにとっても困難になる。ピアジェは、ことばや記号という形式の上だけで思考操作を行なえるようになるのは、つぎの発達段階である一一歳から一四、五歳に入ってからだと考えている。

(4)　**命題的または形式的操作（一一、二歳〜）**　この発達段階になると、子どもは具体的事物の支えがなくとも、言語や記号の上だけで正しい推理ができるようになり、とくに仮説演繹的思考が生じるということをピアジェは指摘している。

仮説演繹的思考は、「もしこうならば、こうである」というように、可能性について、命題の形で考えを進めるという特徴がある。したがって、子どもは直接的に経験できないことについても、そのことについて考え、論理的に推論していけるのである。

たとえば、異なった重さをもった玉を平面上で動かす場合の運動に関するこの年齢の子どもの推理形式をつぎのように記号化して示している。

$$P \to (q \cup r \cup s \cup \cdots\cdots) \qquad (1)$$

したがって，

$$(\bar{q} \cap \bar{r} \cap s) \to \bar{P} \qquad (2)$$

上の式でPは「玉が静止する」という命題を意味し、q、r、sはそれぞれ「摩擦がある」「空気抵抗がある」および「その他の要因がある」ということを意味している。また、∪というのは論理学でいう「選言」、∩は「連言」で、それぞれ、「か」とか「と」ということばに対応している。－は「否定」、→は「含意」すなわち、「もし……ならば、……である」という操作を記号で示したものである。すると、式(1)は「動かした玉が静止するのは、摩擦か、抵抗か、その他の可能な原因によるのだ」ということを意味している。式(2)は、この式(1)の関係を逆にしたもので「摩擦がなく、抵抗もなく、その他の原因もなければ、玉は動き続ける」ということを意味している。摩擦もなく、抵抗もなく、その他の静止の原因もない状態というものは、現実の具体的な環境ではほとんど経験できないことであろう。しかし、それにもかかわらず、現実の現象から抜きとった諸要因間の関係をこのように形式化し、論理的なステップで推論できるということが、この形式的操作の段階そのものの特徴なのである。ピアジェは、この形式的思考についても前段階の具体的操作の場合と同じように、その思考にかかわる諸操作を相互に関連づけ、全体と部分との関係を考えて総体として理解することにより、獲得されると考えている。このように関連づける働きをピアジェは調整と呼び、そのような調整の結果、諸操作が相互に関連づけられ、それを用いて環境に適応できるという状態を均衡と呼んでいるのである。

発達段階ごとの均衡

以上、ピアジェによる知能の発達段階の概略を説明してきた。しかし、その説明の都合上、二、三の重要な問題については説明を省略しているので、ここで補っておきたい。

その一つは、ピアジェは均衡化の過程を知能だと考えているが、以上の発達の四段階の説明でどの部分が均衡化にあたるのかということである。この点については、ピアジェの『知能の心理学』では、感覚運動的な各々の行為あるいは活動の間で均衡化がなされることを指し、前操作的思考の段階では、操作化しつつある心像や表象の間で均衡化が生じると考えている。同様に、各種の保存が生じる具体的操作の段階では、その保存にかかわる各操作の間で生じるのが均衡であると考えている。形式的思考の段階になると形式的水準で各種の論理操作を行なう中での調整の結果が均衡化ということになる。

表象的思考と操作的思考

つぎに、ピアジェは知能の発達の特徴を説明するにあたって、直観的思考、表象的思考そして操作的思考という用語を用いている。これらの思考は、発達の四段階と関連づけて説明するとわかりやすい。

すなわち、直観的思考とは感覚運動的な段階から前操作的思考の段階にかけてみられる思考である。この段階では、直接経験した知覚的事実にもとづいて行為を行ない、心像や表象が生じていてもそれらがまだ論理性を有する操作となっていないために、反省的思考をともなっていない。このような思考をピアジェは直観的思考とか、表象的思考と呼んでいるのである。

他方、操作的思考は論理的な推論として行なわれる思考のことで、具体的操作の段階以後に現われるものである。

以上、三種の思考についてその特徴を述べたが、このことは、おとなになれば操作的思考しか行なわないということを意味しているのではない。三種の思考は時と場合に応じて、同時に生じうるのだが、なにか論理的な課題を解決しようとするとき、具体的操作の段階では七歳以後は操作的思考も使えるようになるし、一一、二歳以後は形式的操作的な思考を使えるようになるということを意味している。

ピアジェは、知能の発達段階で各種の概念の保存の獲得には、その概念の種類により早い遅いがある（一種のずれであって、水平的デカラージと呼ばれる）が、一四、五歳以後の年齢では、そのようなずれが子どもの適性によっても生じると述べている。すなわち、興味や適性のある領域の概念や知識はそれだけ早く形式化するが、興味や適性のとぼしい領域ではそれが遅れ、具体的操作の段階にとどまっているということも少なくないということを述べている。

自己中心性と中心化

ピアジェは、その初期の『児童の言語と思考』に関する研究の中で幼児の会話文の内容を分析して、子どもは最初は自己中心的であるが発達するにつれて社会化するということを発表した。この意見は学会に大きな波紋を投じ、ソヴィエトのヴィゴツキーなどは子どもの発達を説明するに当たって、始めから個人と社会に二分し、そのうえで個人が社会化するという説明をするのは誤りで、子どもは始めから社会的な存在であるという反論を出している。このような反論に対してピアジェは、後になると自己中心的であるというのは未発達であることによって単に自己と環境との間の関係が未分化であるということを意味するのだということを強調し、自己中心性という用語とともに中心化（centration）という用語で子どもの多くの行為にみられる特徴を説明するようになった。

中心化とは子どもの注意が事象の一部の側面にだけ向けられ、他の側面に向けることができないことを指し、そのために自分の主観にもとづいて判断を下してしまい、客観的な判断ができないということを意味している。たとえば、前述の保存の課題でコップに入った水を他の背の高くて幅のせまいコップに移したとき、水面の高さだけにしか注意が向かわないのは中心化の例で、この場合には論理的思考ができない。したがって、それは論理的ではない表象的あるいは直観的な思考になってしまうのである。

ピアジェは論理的な思考を究極的には社会化された思考であると考えているが、その論理的思考が行なえるためには、子どもはその思考を行なうために必要とされるさまざまな側面に同時にあるいは順次に注意を向けることができなくてはならない。ピアジェは、その『子どもの空間概念』の中で、とくにこの視点の統合に関する実験も行なっている。この実験では模型で高さが異なり、色分けしてある三つの山（図2参照）を作り、この山塊のまわりを小さな人形が一まわりして*ABCD*の四地点からこの山塊を眺めた場合、それぞれの地点で山塊はどのように見えるかを被験者となった四歳半から十二歳までの子どもたちに判断させている。その判断は、あらかじめさまざまな地点から眺めた山塊の絵を一〇枚用意しておき、その中から*AB CD*四地点から正しく描かれた絵を子どもに選ばせているが、結果は大よそつぎのような発達差を示している。

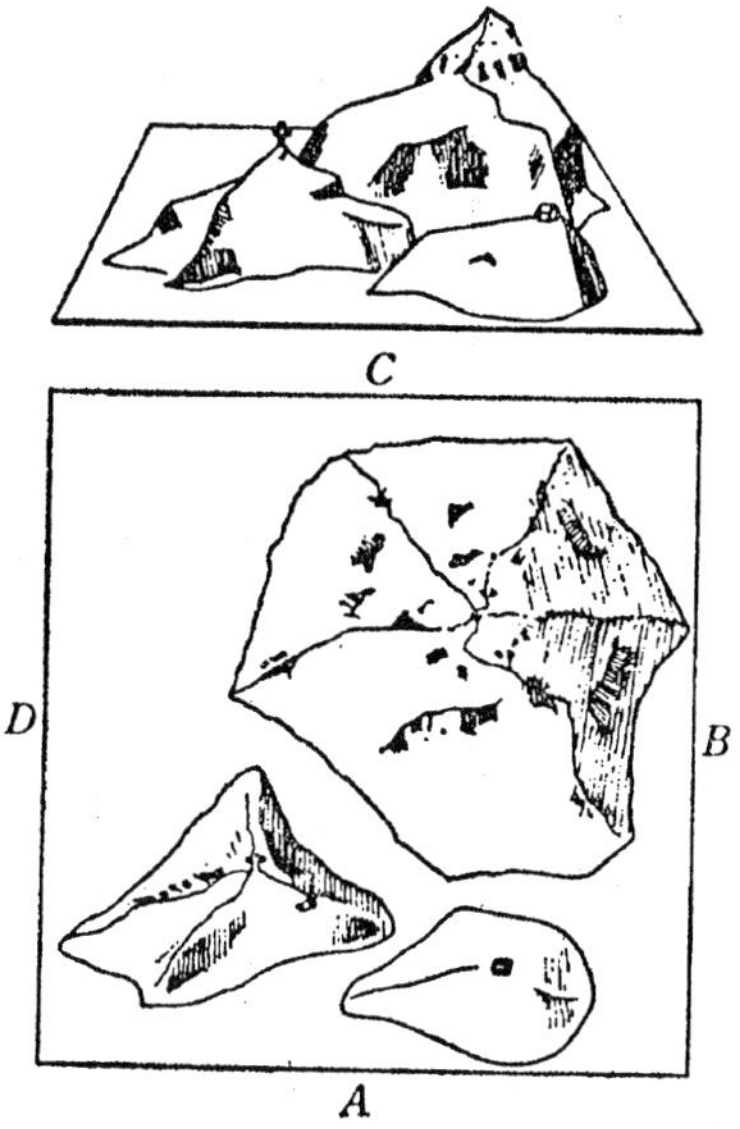

図2　「三つの山」の課題

四〜五歳……子どもは人形の視点からではなく、立っている自分自身の視点に合った絵を選ぶか、あるいは人形の視点とは無関係な絵を選んでしまう。

六〜七歳……子どもは異なる視点をとろうとするが、それに必要な要因（たとえば山を高さや位置で区別するなど）を関連づけて考えることができないので、うまくいかない。

七〜九歳……次第に要因を区別し、視点を互いに関連づけることができるようになるが、総合的に関連づけることができない。したがって正しい絵を選ぶことができない。

九〜一〇歳以後……単純なものならば完全な視点の総合ができるようになり、遠近法も理解できるようになる。

子どもが多くの視点から事象をとらえることができるということは、一つの視点をはなれて、他の視点をとることができるということで、このことをピアジェは脱中心化（decentration）と呼んでいる。脱中心化することができれば、いくつかの視点から見た側面を互いに関係づけることによって論理的な思考が可能になるし、またそのような関係づけが、子どもの思考を社会化するのである。

自己中心的思考とは、子どもの思考が一つの側面あるいは限られたいくつかの側面からしか判断を下すことができず、必要とされるすべての視点を総合して判断を下すことができないという状態を指すということができる。ピアジェは同化作用と調節作用の均衡化を知能と考えている。自分の視点から事象について判断を下すという中心化は、一見して同化作用を指しているように思われる。しかし、ピアジェは中心化や自己中心性は同化作用ではなく、むしろ同化作用の失敗だと述べている。同化作用とは、調節作用と均衡したものであるから、判断が客観的になる程度までに調節作用が同時に働かねばならないということになる。

2　発達と学習

●発達の要因

ピアジェの知能の発達説では、学習ということをどのように位置づけているのだろうか。この問に答えるためには、ピアジェが知能の発達の要因に何をあげているかをみて、その上で学習理論との比較をするほうが理解しやすいように思われる。

ピアジェは、発達における「ある一つの構造の組から他の構造の組への発達」の要因として四つの要因をあげている。ここで構造とは、前述した四つの発達段階によってその呼び方は異なるが、感覚運動的な活動の体系あるいは構造、保存を可能にする具体的操作の構造、あるいは形式的操作の構造などを指している。

(1)　**成　熟**　ピアジェは、発達の要因として、成熟、経験、社会的伝達（言語的伝達、教育その他）および均衡化の四つをあげている。ピアジェによると、最初の三つの要因はそれぞれ発達の要因ではあるが、その一つだけで発達を十分に説明することができないと考えている。というのは、成熟の場合、それは確かに子どもの諸器官の成熟を生じ、学習を容易にするが、やはり経験によって獲得されるものもあるわけである。

(2)　経　験　ピアジェは、とくに経験には二つの側面があることを指摘している。その一つは、環境として与えられた事物そのものから取り入れる経験で、たとえば、粘土玉があれば、それが粘土であって、ある大きさや形を持ち、重さもあるといったことを知る経験を指している。ところが、この粘土玉に変形を加えて形を変えても、また元の粘土玉に作り直すことができるから、粘土玉そのものの物質量は変わらないというような概念は、そこにおかれた粘土玉の物理的特徴の経験からは得られないと、ピアジェは考えている。そうではなく、そのような経験は、粘土玉に働きかける子ども自身の活動あるいは操作そのものから生じるのだと考えるのである。このように考えると、経験によって得られる概念やそれらの概念によって構成されて構造化される概念体系（知識とも呼ぶことができる）には、対象物をそのままの形で経験することから生じる部分と、その対象物に働きかける子ども自身の行為から生じる部分との両方があるということになる。このようになると、発達の要因は単に外在する事物の特徴を知るというだけの意味での経験の結果であるとはいえなくなる。ピアジェは発達の要因として、このような外在する事物についての経験に働きかける子どもの側の行為も加えているのである。

(3)　社会的伝達　第三の要因は第二の要因が物理的な経験とすれば、社会的な環境が及ぼす経験であるということができる。したがって、第二の物理的要因に対して、子どもの側の働きかけが加わったような関係が当然含まれていることになる。つまり、社会的な要因に対しても、子ども自身がその社会的行為を通して働きかけるということがあって、始めてそれは要因として効を奏するということになるのである。たとえば、ピアジェは社会関係において、子どもが相手の立場、視点に立てるということは、思考が可逆的に働いていることだし、また、両方の立場からみられた内容を調整することができるようになるということだから、物理的経験における概念の獲得と同様に、思考の論理化に役立っていると述べている。

(4)　均衡化　以上、ピアジェのあげている三つの要因がそれのみでは発達を十分に説明できないということを述べた。ピアジェが、第四の要因としてあげている均衡化の要因は、他の発達説とくらべてピアジェだけが指摘する要因である。しかし、この均衡化の要因は、以上の三つの要因を子どもの活動や行為の中で相互に関連づける要因として考えられている。このような関連づけがなければ、三つの要因は十分に作用しないというのが、ピアジェの考えである。

すでに述べたように、均衡化とは子どもと環境との間の均衡化を指している。したがって、この均衡化を発達の主要な要因とすることは、発達の要因を素質か環境かという二分律で片づけずに、その両者であるし、しかもその両者が効果的に作用するためには、子ども自身の主体的なあるいは自発的な活動、行為、操作を通して、両者の要因を均衡化させることであるという相互作用説をピアジェが支持していることがわかる。

学習説との比較

つぎに、以上の発達説を学習理論と比較してみたい。

心理学における学習理論の研究もすでに半世紀を経ており、その過程で多くの学説がまとめられていることは、学習心理学の参考書をみると明らかであるが、ピアジェには、とくにハルの学習説と自らの発達説を比較した論文がある。この論文で述べられていることの要旨はつぎのとおりである。

ピアジェは、スメズランドやウォールウィルなどが学習実験によって子どもの保存の概念の獲得を促進することができたという論文に対する批判として、その促進は、子どもが保存に達する前の思考構造に達していたから促進されたのであると述べ、「諸構造の学習はこれらの構造の自然な発達の法則と同じ法則に従うように思われる」、そして「学習は発達に従属するのであり、その逆ではない」と述べている。

つぎに、ピアジェは学習の基本的過程は子どもによる刺激と反応の連合にあるという考えを否定して、その基本的過程は一種の同化作用であると主張している。ピアジェは、子どもが自らの中に同化できる程度まで学習すると考えているのである。

最後にピアジェは、連合のみにもとづく学習理論に部分的に修正を加えると、自らの発達説と対応するということを述べている。

修正の第一は、①従来考えられてきた「刺激と反応」の反応を「模写反応」と呼び、それに、②「変換反応」という反応も加えて理論を構成するということである。この二つの反応は、ピアジェが「図式的シェマ」と「操作的シェマ」と呼んだもの、あるいは「環境の事物の印象の単なるコピーとしてのシェマ」と「自らの活動そのもののシェマ」と呼んだものに対応している。シェマについては本章では詳しい説明をしなかったが、感覚運動の印象、心像、表象、操作などを総称する用語であると考えてよいだろう。経験する際に、事物の特徴の単なるコピーとしての部分とそれに働きかける子どもの行為や操作の部分との両方があるということをすでに述べてきたが、ピアジェはそのような両方の側面を学習理論の中でも取りあげることに賛意を示している。

第二の修正は、学習理論の中で「内的強化」という要因を考えるということである。この内的強化とは、学習すべき課題に接したとき、その課題自体の中にある矛盾や不調和に学習者が気づいて、それを取り除く方向に反応を起こすということを指している。ピアジェは、そのような内的強化が何であろうとも、「発達はすべて一時的なコンフリクトや相反性からなっており、それらが克服されてより高い水準の均衡に達しなければならない」から、そのような内的強化を学習の要因につけ加えることは賛成だと述べている。

●認知理論としてのピアジェ説

ピアジェの学説は、今日、学習理論の立場からはしばしば「認知説」に属するものと評価されている。認知説とは、学習理論の歴史の中では、「連合説」と対立して比較されてきた理論であるが、今日では心理学における学習説を代表するものと考えられている。今日、認知説の特徴を一口で言い表わすのは、なかなか困難であるが、連合説と比較してみると、そのいくつかの特徴が浮かびあがってくる。

すなわち、連合説では刺激がまずそこにあって、それが学習によって反応と機械的に連合すると考えやすいのだが、認知説では学習者がまず最初に刺激を選択し、その刺激を何らかの有意味な形で自らに取り入れ、その結果に応じて反応をするという考えをとっている。この点は、ピアジェが学習が同化の法則に従うという点と合致している。同化作用というのは、環境に変形を加えて自らの中に取り入れることであるからである。

つぎに連合説では、経験として繰り返された刺激と反応がそのままの形で連合するという考えをとりやすいのに対して、認知説では学習者の中で群化したり、構造化されたりするということを重視している。このことはピアジェの諸操作の均衡化の考えとほぼ一致している。操作とは変換のことでもあるから、この理論を採用すると——実際に変換は確かめられているが——その変換によって、学習者が多くの多様な反応をすることができるという事実を説明することができる。

以上、認知説の二つの特徴をあげたが、ピアジェの知能の発達の理論はこの二つの点でも認知説と共通していることがわかる。

3　環境の役割

● 環境と発達段階

すでに前節で、環境は知能の発達の主要な要因の一つであることについて一般的な形で触れたが、ここでは、この問題をピアジェの考えにもとづいてもう少し具体的に取りあげてみたい。

ピアジェは環境を物理的環境と社会的環境とに分け、社会的環境が物理的環境と同等あるいはそれ以上の大きな影響を子どもの知能の発達に与えていると述べている。その理由として、ピアジェは、子どもが生まれてからずっと社会環境に浸り切っていることや、社会というものは子どもに事実を認識することを強要しているということをあげている。このような考えは、社会的環境を発達の一要因と考える他の発達心理学の学説と共通していると思われるが、ピアジェが、以上に加えて、社会的環境の影響の種類や程度が、子どもの知能の発達段階に応じて異なっていると述べている点には、ピアジェ独自の洞察が示されているように思われる。

まず、感覚運動的知能の段階における社会的環境の影響についてみてみよう。

ピアジェは、この時期の子どもは物理的環境と社会的環境をはっきりと区別していないが、対象物の不変性の獲得と並んで、回りの人びとに対する子どもの「感情の投影」が生じてくるということを指摘している。この感情の投影とは、いわゆる子どもの人みしりなどの行為にみられるような、回りの人に対する愛着や反発の感情のことである。子どもは養育者を含めて多くの人たちの中で育てられているから、その中でこのような人間関係が作られはじめるのである。しかし、ピアジェは、この感覚運動的知能の段階では、まだ子どもには思考の交換がなく、また思考というものを知らないので「知能の構造が根本的に変えられるようなことがない」と考えている。

ピアジェは、前操作的段階に子どもが言語を習得するとともに、新しい社会関係があらわれると述べている。それは、象徴活動の結果、子どもが言語を習得し始めるので、その象徴活動や言語を通して、子どもが社会の影響を受け始めるということを意味している。つまり、子どもが言語を習得するということが、その言語に含まれている歴史や社会や文化などを暗黙のうちに身につけるきっかけをつくることになり、これを社会の影響とピアジェは考えているのである。ただし、この前操作的段階では、子どもには一般化され論理化された概念というものはまだ習得されていない。したがって、そこで子どもが習得している言語そのものも個人的、主観的な理解にもとづいた意味しかもっていない。であるから、子どもは子ども同士で、あるいはおとなと同じことばを用いて話し合っていても、子ども独自の意味でそのことばを考えているということが生じている。このようなことは、この年齢の子どもの言語使用の特徴であるから、事実として認めなければならない。しかし、子どもはこのようなことばを用いて回りの人たちと会話しているうちに「たえず、自分の考えに、同意されたり反対されたりするのを体験して、自分の外側にある思考の巨大な世界をみいだす」ことになる。そして、このことが「子どもの思考をいろいろな仕方で、教育したり、深い感銘をあたえたりする」ことになる。

つぎに具体的操作の段階になると、子どもは具体的な事物を取り扱いながら操作的なそして論理的な思考ができるようになる。したがって、そこで用いられる言語の意味もその知能の発達の程度に応じたものとなるから、言語を通じて社会を同化する程度も大きくなるということになる。また、このような心像や表象の操作化ということは、均衡化という過程の中で、部分と全体の関係あるいは部分と部分との関係を調整する働きにもとづいているのだが、そのような調整が、子どもの個人の中で行なわれるだけでなく、子ども同士の、あるいは子どもとおとなどの間で行なわれる討論、協同作業、思想の交換あるいは相互批判の中で行なわれることにより、より大きな一般性を持つようになる。とくに、ピアジェは、知能の均衡化は個人の中でも行ないうるが、それと同時に個人間での協同や対立を契機にして行なわれ、そのことが真の意味での均衡化に導くことを強調している。この意味では、知能を形成する均衡化は社会的環境の要因に同時に支えられているということができる。

洞窟の思考と広場の思考

以上、ピアジェの考える環境とくに社会的環境が知能の発達の各段階で及ぼす影響について概観した。ピアジェには、形式的操作段階以後において社会的環境がどのように作用するかについて、とくにまとまった論文はないが、それにも以上述べてきたことが同様にあてはまるように思われる。ピアジェはあるところで「洞窟の思考」と「広場の思考」ということをあげて、その両者を認めている。洞窟の思考とは、一人の人間の思索から生じる思考で、しかもそれには価値があると考えられる思考のことである。この思考については、ピアジェは、一人の人間が長い時間をかけて、多くの人の立場からみた考えをだして比較し、それらの視点を調整してまとめた考えである。広場の思考とは、多くの人たちの中に出ていって、意見をたたかわし、対立や矛盾を調整をした結果をまとめた思考であるということができる。ピアジェが重視している社会的環境の影響は、この広場の思考と相通じている。

4　知能の発達と教育

● 均衡化の指導

ピアジェは一九五九年にヨーロッパ経済機構が主催した「数学教育改革会議」で子どもの算術教育に関してつぎのような発言をしている。

「大切なことは、まず第一に論理の準備であり、さまざまな概念の質的形成である。量的なものをあまり早期に強調してはならない。それは後に総合されるのだから、それの準備だけでよい。いわば時間をかけるほど無駄をすることになる。質的な関係を構成することによって、数や計測を指導すれば、それだけ子どもは早く覚える。つぎに子どもの活動についてであるが、ことばだけで指導すると、よく忘れてしまうので、ほとんど役に立たない。そこで、ときどきことばそのものを絵でとりかえるのだが、それは絵で用が足りるときだけに限られる。しかし、絵もまた不十分であって、行為が必要である。知能は操作のシステムであって、数学もすべて操作のシステムという行為にほかならず、それはいずれも内面化され、可逆性をもった実際の行為なのである。子どもにいくつかの操作を組み合わせることができるようにするためには、数学的諸操作や、空間的諸関係を関連づけさせ、かつ、単に絵の上だけでなく素材や事物や点や表面を実際に取り扱わせ、反応をさせて、実験させてみる必要がある」。

　長い引用を試みたが、ここでピアジェが述べていることは、幼児期から児童期にかけての子どもの算数の指導では、ことばや静止した絵図だけに頼るのではなく、素材を用いた子どもの実際の行為が必要であるということである。このことは、前節で説明した前操作的思考から具体的操作の段階で子どもに論理的な概念を形成させるのは均衡化の働きであるから、その均衡化を援助するような指導法をとるべきだということを意味している。質的関係といっていることは、たとえば、長さの異なる棒を配列するような課題であれば、まず最初に「より長い」とか「より短い」とか、あるいは「全体」とか「部分」という関係を把握させ、後になってから「何センチ長い」とか「短い」とかいうことを指導すべきだということを述べているのである。実際、子どもの長さの概念の発達もそのような順序になっている。

　ピアジェは、知能の発達の段階は、その各々が、それ以前の段階に構成される知的構造をもとにして構成されていると考えているので、この関係を利用する指導法を提案している。たとえば、ピアジェは、コップA′の水を背の高い幅のせまいコップBに注いで、水の量が変わったかどうかを判断する課題で、子どもが水面の高さが高くなったことに注目して、水が増えたと答えたならば、さらに、背の高いコップB′を用意して、それに、水を移し、同じように判断させ、このようにして、次第に背の高いコップに水を移していくと、ある段階で子どもが幅がせまくなったことに気づき、水が減ったといいだすということを報告している。ここで、子どもの注意が高さから幅に移ったことになる。そして、高さと幅との両方を同時に考えることができるようになる子どもがでてくるのである。この例は、実験の中で観察された例であるが、ピアジェが子どもに行為をさせるというのは、このような手続きを指しているように思われる。

私はピアジェの「量的関係よりもまず質的関係から」という考えに触発されて、子ども（一〇歳児）にうまく算数の文章問題の解法を教えたことがある。問題は「井戸の深さをひもを二つ折りにしてはかると四メートルあまり、三つ折りにしてはかると一メートルあまった。井戸の深さは何メートルか」というものであったが、これが子どもには解けない。四メートルとか一メートルということばの方に子どもの注意が引かれすぎているのである。この場合、おそらく質的関係というのは、井戸の中に入っているひもの部分と、井戸の外にでているひもの部分の相互の関係がどうなっているかということが、ピアジェのいう質的関係になるだろう。そこで、二つ折りにしたときに外にでている余ったひもの長さを子どもと一緒に考えた。それは八メートルである。三つ折りにすれば、余りは少なくなって二メートルである。なぜ少なくなったのか、それは、三つ折りにしたため、井戸の深さ分だけ井戸の中に入ってしまったからである。余りのひもが減る分だけ、井戸の中に入ってしまうことになる。だから、答は八メートル－二メートル＝六メートルとなる。子どもは「わかった」といってかけだしていった。

● ピアジェの教育観

ピアジェは今日の教育が直面しているのは、増大する被教育者にどのような教育対策を講じるかという問題と、そのために画一教育になりやすいので、それに対する個性教育をどのように実現させるかという問題であると考えている。また、この二つの課題を解決するために多くの国で指導法自体の改善が試みられていることをあげ、その指導法の改善には今日の児童心理学の研究の成果が利用されなければならないと主張している。そうでなければ、子どもを小さなおとなだと考えて、既成のおとなの概念や知識あるいは道徳をそのまま子どもに伝達し、記憶させるような古い教育観に教育が支配されてしまうからである。このような古い児童観に対してピアジェが主張する新しい教育観は、子どもの自発的行為を利用し、子どもの発達段階を考慮する教育観である。ピアジェの知能の発達の理論は、このような新しい教育を支える柱の一つであるということができるだろう。

終章

知能の心理学の展望

1　テスト法と臨床法

ピアジェの心理学は、知能に関する伝統的な概念を新しい視点からとらえ直しただけでなく、知能に対する接近の仕方そのものも、根本から変更させるに至った。彼は、臨床法という肥沃な方法を提示することにより、知能テストだけにとらわれずに、知能を機能と構造の両面から研究していく道をきり開いている。

すでに述べたように、ピアジェが発達心理学に興味を持ちはじめたのは、パリの小学校のなかにあったビネーの実験室で、学童用知能テストを標準化する仕事にたずさわったことがきっかけだった。すでにそのときから、彼は知能テストの問題に対する正誤だけでは、子どもの自然のままの心理的傾向を見失うおそれのあることを見抜いていた。そもそも知能テストで、「つぎの言葉を定義しなさい。飛行機、虎、学校、警察官」とか、「今日は何曜日ですか、今月は何月ですか」などの問題では、子どもの知識の内容を知ることができても、その答えを出す背景となった推論過程は、何ら明らかにならない。それを解明するには、個々の子どもの答に応じて、面接のなかで注意深く問答を続けていかなければならない。こうして、彼は、臨床法という彼独自の手続きによって、知能研究に取り組むこととなる。

彼によれば、どんな科学にも、厳密な実験的方法を用いる以前に、現象を注意深く観察したり、分類したりしなければならない「博物学的研究」の段階がある。とりわけ、知能の働きの基盤となっている子どもの思考過程を探る心理学は、現在のところ、この博物学的段階にある。それなのに、知能テストは、しばしば、この段階をとびこえて、厳密科学へと進もうとしてきた。この厳密科学の方法は、つぎの二つのことが、前提となっている。

第一は、研究対象を、観察できることがらに限らなければならないという前提である。心の中で生じていることがらや、それに関係している心的機能は、無視され、排除されてこそ、研究の科学的客観性が保たれるというのが、実証主義者や行動主義者たちの主張であり、この要請にこたえて作成されたのが、知能テストだった。知能テストは、観察可能な解答だけから、子どもの知能をとらえうる道具なのである。

第二の前提は、研究の過程で、研究者の視点ができるだけかかわってこないようにすることである。たしかに、資料を集めたり解釈したりするとき、研究者の直観や立場がはいり込むことは、研究の客観性を損うこととなる。研究に参与する人が誰であっても、同じ結果が得られてこそ、科学的研究の名に価する。そこで科学的心理学を標榜する人たちは、その研究結果が研究者によって片寄り《バイアス》を蒙ることを、極力避けることに努めた。ここから、研究の過程では、被験者に与える刺激を一定にしなければならないという結論が、引き出される。知能研究においては、それは、知能テストの問題が標準化されていなければならないという主張に通じることとなる。

ところが、ピアジェの心理学は、この二つの前提に真向から対立する。彼の関心事は、何よりも、子どもの知能の働きの基礎にある論理的思考構造と、その発達のメカニズムとの解明にあったからである。

たとえば、知能テストの中に、五個の数字を復唱させる問題が七歳用の問題として、五個の数字を逆唱させる問題が一一歳用の問題として提出されている。しかし、これらの問題に解答する過程で、どんな仕方で知能が働くのかについて、知能テストの作成者は何ら説明していない。この点で、ピアジェの知能理論による説明は、明快である。

すでに述べたように、知能の働きは、数学における群の特性をもつ思考構造のモデルで、説明された。群の特性の中でとりわけ重要なのは、可逆性である。だから知能とは何よりも、出発点にもどる可能性をはらんだ働きなのである。この見地からみると、どんなに多くの数字を記憶しても、そこに知能が参与している証拠は何らない。記憶したことがらを逆もどりで唱えられてこそ、知能が働いていることとなるからである。だからピアジェにとっては、数字の復唱問題は、決して知能を測定しているとはいえないわけである。

同様なことは、知覚に関する問題についてもいえる。目のない顔の絵、鼻のない顔の絵、口のない顔の絵、両腕のない顔の絵などをみせ、欠けている個所を見つけさせる問題（五歳用）に、子どもが合格しても、ピアジェの立場からみると、それは知能の発現とはいえない。一般に、知能テストでは、知覚と思考とははっきり区別されていないようであるが、ピアジェの知能心理学では、思考の発達と知覚の発達とを、はっきり区別する。たしかに知能の働きのなかで、知覚がある種の役割を果たしている。けれども、知覚能力がすなわち知能ではない。

このようにして、ピアジェの知能心理学から、従来の知能テストの問題をみなおすと、かなり多くの削除すべき問題を指摘することができるし、また逆に、従来の知能テストでは気づかれなかった重要な知的活動が存在することも明らかにされた。そこで、ピアジェ学派の心理学者たちのなかから、新しい知能テストを作成し、同時に臨床法による知能研究で客観的でないと批判されている点を克服しようとする動きがでてきた。

たとえば、アメリカのタッデナムは、従来の知能テストのように、統計的にみて年齢ごとに正解がふえていくようなテスト問題だけをとりあげるという作成方法をとらないで、ピアジェが理論的に定義した知能の基準に従って、テスト問題を選び、量の保存（粘土、液量、面積、体積）、異なる視点からの空間認識、長さの系列化、推移律、水面の水平性、等々の項目から成るテストを作成した。

彼によれば、ピアジェの臨床法は、知能テスト作成の出発点では、知能の性質を探索するための不可欠な手段である。臨床法なしには、知能の働きに関する資料は収集できない。しかし知能の働きを示す活動が取り出され、その発達の順序が明らかにされ、それらが知能の理論の文脈のなかに位置づけられたときには、それらを標準化することは可能であり、かつ、知能の個人差を調べるために、そのテストを利用することができるはずである。

こういうタッデナムの見解は、アメリカのかなり多数のピアジェ派心理学者の意見でもあって、この信念の下に、研究を積み重ねることにより、知能を評価するのにふさわしい課題を提案しつつある。乳児知能テスト、直観的思考と具体的操作の思考の段階の子どものための知能テスト、具体的操作と形式的操作の段階の子どもの知能テスト、形式的操作の知能を測るペーパーテストなどがそれである。

そのうえ、これらのピアジェ式知能テストと、従来の知能テスト（下位検査）との相関も、かなり高いことが明らかにされている。ただし、それは乳幼児までのことであって、年長になるにつれ、相関は減っていく。また、具体的操作の段階の初期（七、八歳）に高かったこの相関も、この段階の後期（一〇、一一歳）になると、ほとんど相関がなくなるという研究結果もある。

2 知能の量的側面と質的側面

この相関の減少は、ピアジェの知能観と知能テストにおける知能観との根本的な相異を示している。同じ知能を取り扱っているにしても、そのとらえる側面が異なっているからだ。知能テストでは、同年齢の子どもとの比較において、知能の発達がすすんでいるか遅れているかが、知能の基準となっている。しかし、ピアジェの知能理論では、発達の速度の個人差は、それほど重要ではない。ピアジェの関心事は、知能の発達の順次性にあるからだ。同年齢の子どもと比較をしても、意味はない。まず最初に、人間の知能が達することのできる発達の頂点（形式的操作によって特徴づけられる知能構造）を設定し、それにくらべて、それぞれの子どもの知能が、どんな発達段階にあるかを明らかにしようとするのである。

一言でいえば、知能テストは、知能の量的側面をとらえようとし、ピアジェは、知能の質的な側面をとらえようとする。知能の量的側面は、さまざまな内容の問題に対する正答数を調べることによって、つかむことができる。ここには、知能の発達とは、年齢とともに正答数がふえることだという前提がある。この限りにおいて、テストの標準化は、不可欠の条件だし、またそのことによって、知能の発達の個人差を客観的に測定することができる。

一方、ピアジェによれば、知能の発達は、新しい思考構造の形成を含んでいる。たとえば、具体的操作の段階の児童では、命題論理は取り扱えないし、風刺的漫画の比喩的意味やことわざの中に含まれている教訓も理解できないのに、形式的操作の段階に達した青年では、これらをすぐ理解することができる。このように、各発達段階の思考には、本質的な差のあることを前提としているという意味で、知能の発達は質的である。もちろん、知能テストの各年齢の問題は、こういう質的な差を予想したうえで、作成されている。しかし、合格・不合格にもとづいて与えられる得点で、質的な差が覆いかくされることとなる。ここでは、それぞれの問題の中で働く思考過程を考慮することなく、質的に異なる各問題に対して、等質な得点をあたえてしまっているのである。

知能の質的側面は、ピアジェが研究したように、子どものそれぞれの解答の基礎にある論理構造の発達段階を明らかにしない限り、把握されないだろう。ところが子どもの論理構造は、思考の内部の状態であり、外側から観察することができない。そこで、子どもの解答を通して、内部を推察するほかないのだが、このばあい、標準化された刺激（テスト問題）の解答だけで、子どもの論理構造を解釈しようとすると、しばしば誤ちをひきおこすこととなる。とりわけ、理論がまだ博物学的段階にある知能心理学という研究分野ではそのことがいえる。この点で、知能テストの方法は、客観性という点で実り豊かな成果を獲得した反面、知能の基礎にある論理構造の解釈の可能性を見失ってしまったのだった。

この可能性を獲得するには、実験者が被験者に対して、きわめて注意深い態度で接することが不可欠である。実験者の提供する刺激や質問は、被験者に応じて柔軟に提供されなければならない。というのも、同一の刺激や質問が、それぞれの子どもにとって異なる意味を持っているかもしれないからだ。だから、標準化されたテストのばあいとは逆に、ここでは、刺激や質問には、その場その場で実験者の視点が介入してこざるをえない。このことが、ピアジェの用いた臨床法の特徴なのだが、それは、実験者の視点に影響されるべきではないという科学的心理学の前提にいちじるしく矛盾する。ピアジェの立場は、科学的心理学からみると、たしかに異端なのかもしれないが、標準テストを用いなくても、科学的でありうることを明らかにした。

この点で興味あるのは、子どもの反応に対するピアジェの視点である。たとえば、熱いストーブに手を触れた子どもの行動をとりあげてみよう。この子は、ストーブにさわってはいけないことを、母親から何度も注意されており、もしさわると熱いだけでなく、火傷をしてしまうことをよく知っていた。だから母親は、なぜこの子が言うことをきかなかったのか、どうすればいうことをきくようになるか、ということに大きな関心をよせる。心理学者もまた、こういう観点から子どもの行動を分析しようとする。

しかしこういう問題はピアジェの関心事ではなかった。このばあい、大切なのは熱いストーブに対する子どもの知的態度である。子どもは母親から「熱い」というコトバをしばしば聞いていたが、その意味を感覚的にはまだつかんでいない。そこで、その意味を経験によって確かめようとして、そして、熱いものと熱くないものとの区別を一そう明確にしようとして、この行動が行なわれたと解釈することができる。

このように、一つの同じ現象であっても、研究者の関心に応じて、その取りあげ方がまったくちがってくる。この行動を、権威への否定や不服従としてみるか、それとも仮説検証的な実験の試み、または分類という論理的思考の起源としてみるかによって、その子どもの行動をさらに追跡していく仕方が、当然異なるはずである。ピアジェは後者の観点から、つまり、子どもの認識はどのようにして発達していくかという観点の下で、臨床法を用いて実験者と子どもの問答を展開させていく。

このようにみてくると、すでに述べたようにピアジェの心理学は、子どもの精神発達の全側面を解明しようとする意図をもつものでないことは明らかである。彼の研究の関心は、あくまでも知能の発達であり、結局のところ、知能の発達とは、人間の子どもがどのようにして、数学や物理学などの科学的理論の認識へと接近するようになっていくかという過程にほかならなかった。

この発達過程で、子どもはたえず、認識論上の諸問題——保存、分類、系列化、組み合わせ、確率、等々の問題――にぶつからざるをえない。それらの問題に対し、子どもはそれぞれの発達段階にふさわしい仕方で、解釈を求めようと努めている。ピアジェが知能研究で対象としようとしたのは、まさにこういう観点からみたときの子どもであり、これを彼は、「知的被験者」と呼んだ。一方、知能テストや従来の児童心理学などで取りあげようとしたのは、量的見地からみた子どもの知能であり、それぞれの知能には個人差があるにしても、平均することにより、各年齢の知能の一般的な特徴が明らかにされる。このような見地から取り扱われる被験者を、ピアジェは、「心理学的被験者」と呼んでいる。

3　実体的知能観と機能的知能観

知能テストでは、子どもの将来の知能が、幼い年齢での測定値によって、予測された。知能指数には多少の変動があるにせよ、個人ごとに安定しており、ほぼ恒常性が保たれているとみなされている。この意味で知能テストでは、知能を実体的なものとみなす。静的な知能観といってもいい。それは、ゴールトン流の古典的遺伝学説によって裏づけられている。人間の知能は、正規分布をなしており、しかも平均値へ回帰傾向を示す。つまり、特定の時点で知能を測定すると、ガウス型の誤差曲線を示すし、世代毎に知能を測定すると、極端に知能の高い両親の子どもは、両親ほど高い知能にはめぐまれないし、逆に知能の低い両親の子は、両親ほど知能が低くない。これらの知能の性質は、遺伝因子の偶然的組み合わせによって説明される。

もちろん、現代の知能心理学は、こういう単純な遺伝的決定論をそのまま踏襲しているわけではない。知能の変異は、遺伝因子にもとづくだけでなく、環境にも測定誤差にも依存しているわけだから、知能テストで測られる知能得点は、「表現型」の知能にすぎない。にもかかわらず、知能テストでは「遺伝子型」の知能を何とかして取り出そうと努力を続けている。

実際、親子、きょうだい、一卵性双生児などの血縁関係をもった知能の相関を調べてみると、遺伝可能性を示す事実が次々にとり出された。その結果、表現型のかなり多くの部分を、遺伝子型の知能が占めているという信念を、ますます強めるに至った。このばあい、知能に対して遺伝因子がどのような仕方で貢献しているかは、統計的手法で量的に測定されることとなる。

一方、ピアジェの知能のとらえ方は、もっと機能的で、動的である。彼は、遺伝と環境とがそれぞれどの程度、知能の出現に影響するかという問題の立て方はしていない。彼にとっての関心事は、知能が人間の内部の力と外部の力からどれほど自立しているか、そしてこれらをどのような仕方で制御するかという点にあった。だから彼は、遺伝因子の偶然的な組み合わせによって、知能が出現するという遺伝的決定論を拒否する。ピアジェは『知能の心理学』で、つぎのように述べている。

「知能は、主体と周囲の客体とのあいだの相互作用にたいして、一定の形態（ゲシタルト）をあたえる『構造化』のはたらきとして、あらわれる。……知能の独自性は、本質的には、知能がこのためにつくりあげる形態の性質に、もとづいているのだ。」

このようなわけで、知能の出現が偶然的な機会にもとづくということは、決してありえない。彼によれば、知能は生物学的順応の延長である。ただし、動物の本能による順応とちがって、知能は相対的に自立的な順応を可能にする。そもそも本能は、器官の構造を機能の面に延長する働きにすぎない。たとえば、キッツキのくちばしは長くて先端がとがっているので、そういう器官の構造が、蟄茎本能を出現させるのだし、モグラやケラのような動物の足は、土を掘ることのできるような構造をなしているから、発掘本能があらわれることとなる。ところが、知能は、順応のための構造自体をつくり出す働きである。つまり、その構造は、各個人の中に遺伝的にそなわっているものではありえない。しかしだからといって、環境のみでつくり出されるものでもない。むしろ、遺伝とか本能などの内部的な力からも、環境とか経験などの外部的な力からも、比較的に独立しているところに、知能の特色がみられるのである。

知能とは、同化作用と調節作用との均衡だとピアジェはいう。同化作用とは、内部的なシェマに応じつつ、外部のことがらを取り込む働きであり、逆に調節作用とは、外部の環境からの働きかけに応じつつ、内部的なシェマを修正する働きである。

同化作用と調節作用との間で均衡状態をとる知能とはちがって、もし同化作用が優勢になってしまうなら、あそびの活動があらわれることとなる。というのも、あそびは、外部のものごとの性質を無視してまでも、内部的なシェマに応じる活動だからである。あそびの中では、子どもが棒を、銃としても、飛行機の操縦桿としても、舟の艪櫂としても用いるように、外部の事物の性質をそれほど考慮に入れることなしに、自分の内部的なシェマに合うように変えてしまう。

逆に、もし調節作用が優勢になってしまうなら、模倣の活動があらわれることとなる。というのも模倣は、内部的なシェマにできるだけ拘泥せずに、外部のことがらにできるだけ応じようとする活動だからである。子どもが他人の声をまねるばあい、その手本の声の高低、音質、抑揚などをとらえられる限りとらえ、逆に手本と異なる自分の声の高低、音質、抑揚などを抑制しようとする。

一方、知能は、同化作用と調節作用のいずれにも偏せず、まさに両方の性格をそなえている活動である。知能が同化的性格を持つということは、それが外部のことがらをただ受身的に模写する活動ではないことを示しているし、調節的性格を持つということは、それが内部的なシェマだけを働かせて非現実的な方向に向かう活動ではないことを示している。この点で、知能は、外部の力の束縛からも、内部の力の束縛からも、比較的独立して自由なのである。

一体、知能による順応過程とは、問題解決過程にほかならないが、このばあい、あそびとちがって、問題の中に含まれている諸条件を勝手につくり変えてしまうようなことをせずに、それらを自分の思考構造（シェマ）の中に取り入れる。しかも模倣とちがって、自分の思考構造を勝手につくりかえたりせずに、取り入れられた問題を処理していく。だから、知能は、内部の力と外部の力とが相互に働く中で、両者を変質させることなく、そっくりそのまま活用しながら、順応へと向かっていく活動だといえるだろう。

あそびの活動では内部の力が、模倣の活動では外部の力が、あまりにも強くかかわりすぎている。これに対して、両者の力から独立しているところに、知能の特色があるわけだし、とりわけ、形式的操作の思考は、その独立性を最大限に獲得した知能なのである。

4　知能の個人差と知能の発達差

じつをいうと、知能テストにおける実体的知能観と、ピアジェにおける機能的知能観とのこのような相異は、知能研究におけるそれぞれの関心の相異を反映している。

知能テストの関心は、もっぱら、知能の個人差の解明に向かっていた。その個人差を説明するために、正規分布にもとづく遺伝法則が援用されたため、知能の個人差はいわば宿命的な能力差とみなされることとなったのである。

ところがピアジェの関心は、知能の個人差ではなく、知能の発達差、つまり個人において知能がどのように発達していくか、という点に向かっていた。ここでは、新しい知能の出現が偶然性の法則によって決定されるものではなく、構造化のメカニズムによって方向づけられている。その発達のすじみちは、必然性の法則によって決定される。このすじみちを、生物学者のワディントンは、クレオードとよんだ。

実際、胎内で身体器官が形成される過程でも、その形成段階は一定の順序をなして進行していく。以前の段階の身体器官が構造化された結果、新しい段階の身体器官が出現し、それらがさらに構造化されて、つぎの段階へとすすんでいく。

ところで、予期できない事情が介入して、この必然的なすじみちから意外な方向へ、発達が逸脱してしまうこともありうる。しかしこのばあい、クレオードの過程では、常にある力が働いていて、発達を正常なすじみちにもどすこととなる。こういう均衡化の過程を、ワディントンは、ホメオレーシスと呼んでいる。これは、キャノンの定義によるホメオスタシスのような静的な過程ではない。キャノンによれば、生体には常に均衡を保っておこうとする傾向があって、周囲の状況に変化が生じると、直ちにこれを回復しようとする。この働きがホメオスタシスにほかならないが、ここでは変化が生じない限り、常に均衡状態を保ちつづけるという点で、静的な過程である。一方、ホメオレーシスは、それぞれの段階で均衡を保ちつづけながらも、一そう均衡の高い構造へと進んでいくという点で、動的な性格を持っているのである。

これらのことは、知能の発達についてもいえるのであって、以前の知能の構造は、さらに複雑な知能構造を仕上げるうえでの前提なのだと、ピアジェは主張する。これに対して、その立場があまりにも生物学的であり、遺伝的決定論にほかならないではないかという反論があるかもしれない。たしかに前の段階なしには次の段階が出現しえないという意味で、各段階の出現は必然的であり、したがって発達では、中間の段階をとばしたりすることが不可能である。しかしだからといって、各段階の構造がすべて、遺伝因子の中に組み込まれているというわけではない。身体器官の構造さえもそうなのだから、いわんや知能の構造については、いうまでもない。

この意味で、生得観念とか本有観念とかいうものはありえない。「保存概念は、すでに発達初期に存在しているのだが、やがてそれがかくれてしまい、後の発達段階で再び現われることとなるのだ」と主張している心理学者もいるが、ピアジェは、こういう主張に真向から対立する。チョムスキーらの構造主義言語学における「言語能力」（コンピテンス）とか「言語習得装置」（L・A・D）などの生得的な言語構造の概念ですら、ピアジェには納得しかねるものだった。

もしすべての知能が遺伝因子の中に組み込まれているとするならば、それぞれの段階の知能が出現する時期もまた、遺伝的にきまっているはずである。事実、知能テストにおける精神年齢という概念は、端的にこの立場を代表するものであろう。ゲゼルの発達心理学の立場もまた同様である。彼は、単純な行動から複雑な行動に至るまで四〇種類以上の行動を、それぞれ個別にとりあげ、それぞれが成熟してうまく順応するまでの過程（成長勾配）を、年齢に対応させながら記述した。

たしかに精神年齢や成長勾配の概念は、発達の大体の目安をつけうるという点で、発達診断の道具としての役割をもたせることはできる。しかし実際には各段階が出現する年齢は、環境や経験に応じて、きわめて異なるのである。とくに知能の発達の遅れや進みは、胎内の身体器官の発達以上に、大幅に環境に左右されることとなる。だからといって、知能の発達のすべての要因を、環境や経験に帰してしまうのもまちがっている。もちろん、わたくしたちの生活する文明社会での子どもの経験は、ほぼ一様であり、とりわけ学校制度がその一様性を強化している。そのため、段階の順次性も、そういう環境の影響によるものとみなされるかもしれない。しかしそれは、規則的な順次性であって、決して必然的な順次性ではない。

これに反し、各発達段階における構造の出現は、必然的である。ただし、形式的操作の思考構造が必然的に出現することが、子どもの誕生時に直ちに決定的となるというのではなく、具体的操作の思考構造が仕上げられるときはじめて、それが必然的に出現することとなる。だから、未開発国の子どもたちのように、具体的操作の思考構造が完成されるところまで発達がすすんでいないばあいには、形式的操作の思考構造の出現が、必然的ではないのである。

同様に、具体的操作の思考構造は、表象的思考の構造が完成されるとき、必然的に出現し、表象的思考の構造は、感覚運動的知能の構造が完全なものとなったとき、必然的となる。

要するに、思考の構造は、遺伝的・生得的にあらかじめそなわっているものでもなければ、環境の影響で獲得されるものでもない。それは均衡化の働きの下で、内部の力と外部の力とが相互に作用しつつ、構成されるものである。この構成活動が進行する過程で、各段階の構造は、一つ一つ必然的な仕方で出現するに至る。だから、発達の必然性とは、発達の出発点の性格なのではなくて、発達をふりかえってみたときに特徴づけることのできる性質のものである。この意味で、決定（必然性）と同時に自由（自立性）を兼ねそなえているのが、知能の発達の特質であるということを、ピアジェは強調しているのである。

【文献一覧】

《第2章》

H. Ginsburg and S. Opper, *Piaget's theory of intellectual development.* (2 nd ed.) Englewood Cliffs. N. J.: Princeton-Hall, 1979.

滝沢武久『ワロン・ピアジェの発達理論』(現代授業論双書8)、明治図書、一九七五。

R. Droz and M. Rahmy, *Lire Piaget.* Bruxelles: Dessart, 1972. *Understanding Piaget.* (trans. by J. Diamanti) New York: International Universities Press, 1976.

波多野完治編『ピアジェの発達心理学』国土社、一九六五。

波多野完治編『ピアジェの認識心理学』国土社、一九六五。

ジャン・ピアジェ(銀林浩・滝沢武久訳)『量の発達心理学』国土社、一九六二。

ジャン・ピアジェ(遠山啓・銀林浩・滝沢武久訳)『数の発達心理学』国土社、一九六二。

ジャン・ピアジェ(芳賀純訳)『論理学と心理学』評論社、一九六六。

ジャン・ピアジェ(滝沢武久・佐々木明訳)『構造主義』白水社、一九七〇。

ジョン・H・フラベル(上＝岸本弘・岸本紀子訳、下＝植田郁朗訳)『ピアジェ心理学入門』上・下、明治図書)一九六九－七一。

モリー・ブリアリイ、エリザベス・ヒッチフィールド(山内光哉訳)『幼児・児童教育のためのピアジェ入門』川島書店、一九七〇。

A. L. Baldwin, *Theories of child development.* New York : Wiley, 1967.

《第3章》

波多野完治編『ピアジェの認識心理学』国土社、一九六五。

波多野完治編『ピアジェの発達心理学』国土社、一九六五。

ジャン・ピアジェ（谷村覚・浜田寿美男訳）『知能の誕生』ミネルヴァ書房、一九五三。

ジャン・ピアジェ、バーベル・インヘルダー（久米博・岸田秀訳）『心像の発達心理学』国土社、一九七五。

ジャン・ピアジェ、バーベル・インヘルダー（波多野完治・須賀哲夫・周郷博訳）『新しい児童心理学』白水社、一九六九。

ジャン・ピアジェ、ポール・フレス編（久保田正人・岩脇三良・須賀哲夫・木村充彦訳）「知覚の年齢による発達」『現代心理学 VI 知覚と認知』白水社、一九七一。

ジャン・ピアジェ（芳賀純訳）『発生的心理学』誠信書房、一九七五。

《第4章》

フェルディナンド・ド・ソシュール（小林英夫訳）『言語学原論』（改訂新版）、岩波書店、一九四〇。

ジャン・ピアジェ（芳賀純訳）『諸科学と心理学』評論社、一九七〇。

ジャン・ピアジェ（芳賀純訳）『発生的心理学』誠信書房、一九七五。

ジャン・ピアジェ（芳賀純訳）『発達の条件と学習』誠信書房、一九七九。

Antonio M. Battro, *Piaget : Dictionary of Terms*. Pergamon Press, 1966.

J. Piaget, Intellectual evolution from Adolescence to Adulthood. *Human Develop.* Vol. 15, 1972.

J. Piaget, *Ou va l'education*. Editions Denoël, 1948 et 1972.

《終　章》

R. D. Tuddenham, Theoretical regularities and individual idiosyncrasies. In D. R. Green et al (ed), *Measurement and Piaget*. McGraw-Hill, 1971, p. 64–80.

I. C. Uzgiris and J. McV. Hunt, *Assessment in infancy : Ordinal scales of psychological development*. Univ. of Illinois Pr., 1975.

M. L. Goldschmidt and P. M. Bentler, The dimension and measurement of conservation. *Child Dev.* 1968 (39) 787–802.

J. Smedslund, Concrete reasoning : a study of intellectual development. Monog. of the Soci. for Res. In *Child Dev.* 1964 (2) 29.

W. M. Bart and P. W. Airasian, Determination of the ordering among seven Piagetian tasks by an ordering theoretical method. *J. of ed. psy.* 1974 (66) p. 277–284.

R. P. Tisher, A Piagetian questionnaire applied to pupils in a secondary school. *Child Dev.* 1971 (42) 1633–1636.

J. A. Rowell and P. J. Hoffman, Group tests for distinguishing formal from concrete thinkers. *J. of Re-*

search in Science Teaching. 1975 (12) p. 157–164.

D. Kuhn, Relation of two Piagetian stage transition to I. Q. *Dev. Psy*. 1974 (10) p. 590–600.

さくいん

あ行

か行

さ　行

ま・や 行

ら 行

有斐閣新書・古典入門　　ピアジェ 知能の心理学

1980年3月20日　初版第1刷印刷
1980年3月30日　初版第1刷発行 ©

著　者　滝沢武久
　　　　山内光哉
　　　　落合正行
　　　　芳賀　純

発行者　江草忠允

発行所　株式会社　有斐閣
〒101 東京都千代田区神田神保町 2-17
電話 (03) 264-1311　振替 東京 6-370
京都支店〔606〕左京区田中門前町44

落丁本・乱丁本はお取替えいたします　　暁印刷・稲村製本

★定価はカバーに表示してあります

《有斐閣新書》の刊行に際して

今日ほど教育の問題が関心を集めた時代がかつてあったでしょうか。戦後の教育改革からすでに三十年、昨今の高校・大学進学率ひとつをとってみても、そのはげしい変化には驚くべきものがあります。これらの変化は高度経済成長がもたらした「消費革命」とはまったく質を異にする新しい時代の到来を感じさせます。それは一種の「意識革命」というべきものかも知れません。このような時代のなかで、きわめて多数の人びとが、主体的にあるいは創造的に「学び」かつ「知る」という欲求を強くもちはじめています。大学をはじめとするさまざまな学校、市民生活の場としての地域や職場で多種多様な講座がもたれるようになりました。現代が「開かれた大学の時代」とか「生涯教育の時代」とよばれるゆえんであります。

小社は、これまで《有斐閣双書》《有斐閣選書》をはじめとする出版活動をとおして、社会科学・人文科学の諸分野にわたる専門知識を広く社会に提供する努力をつづけてまいりましたが、このたび「専門知識を万人に」の願いをこめて、新しい時代にふさわしい出版企画《有斐閣新書》を、創業百周年記念出版のひとつとして発足させることにいたしました。

《有斐閣新書》は、現代人の多様な知的欲求に応えようとするものであり、小社が永年培ってきた学術出版の伝統を生かした新しいタイプの基本図書であります。この点で、本新書は、これまでの一般教養向きの新書とはまったく性格の異なる出版企画であり、現代における学術知識の普及への新しい使命をになうものと言えましょう。

《有斐閣新書》は、新書判というハンディな判型の中で最新の学問成果を平明に解説し、必要にして十分な内容を収めるとともに、古典の再発見に努めるなど、現代に生きるすべての人びとにとって、学問の扉をひらく際のよきガイドブックとなることを意図しております。読者のみなさまの一層のご支援をお願いしてやみません。

（昭和五十一年十一月）

ピアジェ
知能の心理学（オンデマンド版）

Digital Publishing

2004年9月10日　発行

著　者　滝沢　武久
山内　光哉
落合　正行
芳賀　純

発行者　江草　忠敬
発行所　株式会社 有斐閣
〒101-0051　東京都千代田区神田神保町 2-17
TEL 03(3264)1315（編集）03(3265)6811（営業）
URL http://www.yuhikaku.co.jp/

印刷・製本　株式会社　デジタルパブリッシングサービス
URL http://www.d-pub.co.jp/

AB998

ISBN4-641-90438-3　Printed in Japan